Collection folio junior

dirigée par
Jean-Olivier Héron
et Pierre Marchand

Steve Jackson et **Ian Livingstone,** auteurs des livres dont **vous** êtes le héros, ont été tous deux élèves du lycée de Altrincham dans le Cheshire. Steve Jackson a étudié la biologie et la psychologie à l'université de Keele, mais il consacra surtout son énergie à fonder une association de jeux au sein de l'université. Ian Livingstone a suivi des cours de marketing au collège de Stockport ; il a collaboré, par la suite, au magazine *Albion,* aujourd'hui disparu, la revue la plus célèbre en Grande-Bretagne en matière de jeux de société.

En 1974, tous deux vinrent s'installer à Shepherd's Bush, dans la partie ouest de Londres ; ils passaient là le plus clair de leur temps à jouer à des *wargames* américains. Parmi les divers emplois que Steve Jackson a tenus à cette époque, l'un des plus enrichissants pour son expérience fut sans nul doute sa collaboration à *Games and Puzzles* qui était à l'époque le seul magazine anglais professionnel spécialisé dans les jeux ; dans le même temps, Ian Livingstone menait une carrière de cadre supérieur dans le service marketing d'une grande compagnie pétrolière. Lorsque leur société Games Workshop fut créée, ils décidèrent tous deux d'abandonner leur situation « stable » pour se consacrer entièrement à ce qui avait toujours constitué la grande ambition de leur vie.

Les jeux que produit la société Games Workshop ont inspiré *La Forêt de la Malédiction.* Conçu pour un joueur solitaire, le livre fonctionne à la manière des jeux électroniques dans lesquels le joueur doit tenir un rôle en tant que personnage. De tels jeux ont ceci de particulier qu'ils nécessitent la présence d'un « Maître du Jeu » représentant une sorte de « dieu » qui préside à l'aventure dans laquelle se lance le joueur. Dans *La Forêt de la Malédiction,* c'est le livre lui-même qui fait office de « Maître du Jeu », en utilisant une technique familière à ceux qui ont suivi des cours programmés électroniquement.

Steve Jackson et Ian Livingstone ont maintenant dépassé la trentaine et ils sont toujours aussi acharnés au jeu. Parmi leurs jeux préférés, citons : Apocalypse, 1829, Intellivision Baseball, Pisa et le grande trilogie des jeux électroniques : Rune Quest, Donjons et Dragons et Traveller.

Pour Liz et Carol

Ian Livingstone

La Forêt de la Malédiction

Traduit de l'anglais
par Camille Fabien

Illustrations de Malcolm Barter

29481

Gallimard

Titre original :
The Forest of the Doom

Comment combattre les créatures de la Forêt

Avant de vous lancer dans cette aventure, il vous faut d'abord déterminer vos propres forces et faiblesses. Vous avez en votre possession une épée et un bouclier, ainsi qu'un sac à dos contenant des provisions (nourriture et boissons) pour le voyage. Afin de vous préparer à votre quête, vous vous êtes entraîné au maniement de l'épée et vous vous êtes exercé avec acharnement à accroître votre endurance.

Les dés vous permettront de mesurer les effets de cette préparation en déterminant les points dont vous disposerez au départ en matière d'HABILETÉ et d'ENDURANCE. En pages 12 et 13, vous trouverez une *Feuille d'Aventure* que vous pourrez utiliser pour noter les détails d'une aventure. Vous pourrez inscrire dans les différentes cases vos points d'HABILETÉ et d'ENDURANCE.

Nous vous conseillons de noter vos points sur cette *Feuille d'Aventure* avec un crayon ou, mieux, de faire des photocopies de ces deux pages afin de pouvoir les utiliser lorsque vous jouerez à nouveau.

La Feuille d'Aventure

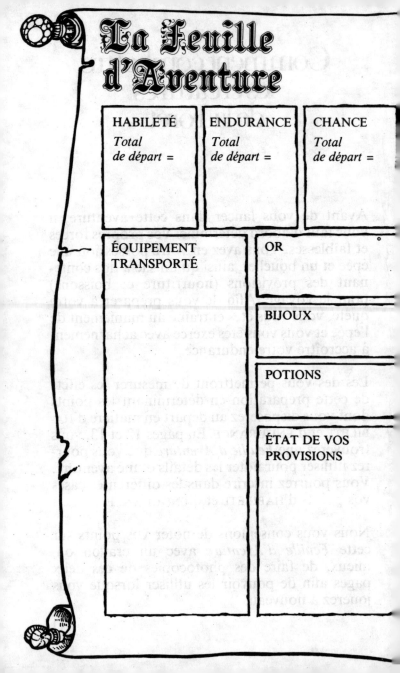

HABILETÉ	ENDURANCE	CHANCE
Total de départ =	*Total de départ =*	*Total de départ =*

ÉQUIPEMENT TRANSPORTÉ

OR

BIJOUX

POTIONS

ÉTAT DE VOS PROVISIONS

CASES DES RENCONTRES AVEC UN MONSTRE

Habileté = *Endurance =*	*Habileté =* *Endurance =*	*Habileté =* *Endurance =*
Habileté = *Endurance =*	*Habileté =* *Endurance =*	*Habileté =* *Endurance =*
Habileté = *Endurance =*	*Habileté =* *Endurance =*	*Habileté =* *Endurance =*
Habileté = *Endurance =*	*Habileté =* *Endurance =*	*Habileté =* *Endurance =*

Habileté, Endurance et Chance

Lancez un dé. Ajoutez 6 au chiffre obtenu et inscrivez le total dans la case HABILETÉ de la *Feuille d'Aventure*.

Lancez ensuite les deux dés. Ajoutez 12 au chiffre obtenu et inscrivez le total dans la case ENDURANCE.

Il existe également une case CHANCE. Lancez à nouveau un dé, ajoutez 6 au chiffre obtenu et inscrivez le total dans la case CHANCE.

Pour des raisons qui vous seront expliquées plus loin, les points d'HABILETÉ, d'ENDURANCE et de CHANCE changent constamment au cours de l'aventure. Vous devrez garder un compte exact de ces points et nous vous conseillons à cet effet d'écrire vos chiffres très petits dans les cases, ou d'avoir une gomme à portée de main. Mais n'effacez jamais vos *points de départ*. Bien que vous puissiez obtenir des points supplémentaires d'HABILETÉ, d'ENDURANCE et de CHANCE, ce total n'excédera jamais vos *points de départ*, sauf en de très rares occasions qui vous seraient alors signalées sur une page particulière.

Vos points d'HABILETÉ reflètent votre art dans le maniement de l'épée et votre adresse au combat en général ; plus ils sont élevés, mieux c'est. Vos points d'ENDURANCE traduisent votre force, votre volonté de survivre, votre détermination et votre forme physique et morale en général ; plus vos points d'ENDURANCE sont élevés, plus vous serez capable de survivre longtemps. Avec vos points de CHANCE, vous saurez si vous êtes naturellement chanceux ou malchanceux. La chance et la magie sont des réalités de la vie dans l'univers imaginaire que vous allez découvrir.

Batailles

Il vous sera souvent demandé, au long des pages de ce livre, de combattre des créatures de toutes sortes. Parfois, vous aurez la possibilité de choisir la fuite, sinon — ou si vous décidez de toute façon de combattre —, il vous faudra mener la bataille comme suit :

Tout d'abord, vous inscrirez les points d'HABILETÉ et d'ENDURANCE de la créature dans la première case vide des *Rencontres avec un Monstre,* sur votre *Feuille d'Aventure.* Les points correspondant à chaque créature sont donnés dans le livre chaque fois que vous faites une rencontre.

Le combat se déroule alors ainsi :

1. Jetez les deux dés pour la créature. Ajoutez ses points d'HABILETÉ au chiffre obtenu. Ce total vous donnera la *Force d'Attaque* de la créature.

2. Jetez les deux dés pour vous-même. Ajoutez le chiffre obtenu à vos propres points d'HABILETÉ. Ce total représente votre *Force d'Attaque.*

3. Si votre *Force d'Attaque* est supérieure à celle de la créature, vous l'avez blessée. Passez à l'étape n° 4. Si la *Force d'Attaque* de la créature est supérieure à la vôtre, c'est elle qui vous a blessé. Passez à l'étape n° 5. Si les deux *Forces d'Attaque* sont égales, vous avez chacun esquivé les coups de l'autre — reprenez le combat en recommençant à l'étape n° 1.

4. Vous avez blessé la créature, vous diminuez donc de 2 points son ENDURANCE. Vous pouvez également vous servir de votre CHANCE pour lui faire plus de mal encore (voir page 17).

5. La créature vous a blessé ; vous ôtez alors 2 points à votre ENDURANCE. Vous pouvez également faire usage de votre CHANCE (voir page 17).

6. Modifiez votre score d'ENDURANCE ou celui de la créature, selon le cas (faites de même pour vos points de CHANCE si vous en avez fait usage — voir page 17.)

7. Commencez le deuxième *Assaut* (en reprenant les étapes de 1 à 6). Vous poursuivrez ainsi l'ordre des opérations jusqu'à ce que vos points d'ENDURANCE ou ceux de la créature que vous combattez aient été réduits à zéro (mort).

Fuite

A certaines pages, vous aurez la possibilité de fuir un combat s'il vous semble devoir mal se terminer pour vous. Si vous prenez la fuite, cependant, la créature vous aura automatiquement infligé une blessure tandis que vous vous échappez (vous ôterez alors 2 points à votre ENDURANCE). C'est le prix de la couardise. Pour cette blessure, vous pourrez toutefois vous servir de votre CHANCE selon les règles habituelles (voir ci-dessous). La *Fuite* n'est possible que si elle est spécifiée à la page où vous vous trouverez.

Combat avec plus d'une Créature

Si vous croisez plus d'une créature, lors de certaines rencontres, vous lirez à la page correspondante les instructions qui vous permettront de mener la bataille. Parfois, vous les affronterez comme si elles n'étaient qu'un seul monstre ; parfois, vous les combattrez une par une.

Chance

A plusieurs reprises au cours de votre aventure, lors de batailles ou dans des situations qui font intervenir la chance ou la malchance (les détails vous seront donnés dans les pages correspondantes), vous aurez la possibilité de faire appel à votre chance pour essayer de rendre une issue plus favorable. Mais, attention, l'usage de la chance comporte de grands risques ! Et, si vous êtes *mal*chanceux, les conséquences pourraient se révéler désastreuses.

Voici comment on peut se servir de la chance : jetez deux dés. Si le chiffre obtenu est *égal ou inférieur* à vos points de CHANCE, vous êtes *chanceux,* et le résultat tournera en votre faveur. Si ce chiffre est *supérieur* à vos points de CHANCE, vous êtes *malchanceux* et vous serez pénalisé.

Cette règle s'intitule : *Tentez votre Chance.* Chaque fois que vous *Tenterez votre Chance,* il vous faudra ôter 1 point à votre total de CHANCE. Ainsi, vous vous rendrez bientôt compte que plus vous vous fierez à votre chance, plus vous courrez de risques.

Utilisation de la Chance dans les Combats

A certaines pages du livre, il vous sera demandé de *Tenter votre Chance* et vous serez averti de ce qui vous arrivera selon que vous serez *chanceux* ou *malchanceux.* Lors des batailles, cependant, vous pourrez toujours *choisir* d'utiliser votre chance soit pour infliger une blessure plus grave à une créature que vous venez de blesser, soit pour minimiser les effets d'une blessure qu'une créature vient de vous infliger.

18

Si vous venez de blesser une créature, vous pouvez *Tenter votre Chance* à la manière décrite plus haut. Si vous êtes *chanceux,* vous avez infligé une blessure grave et vous pouvez ôter 2 points de plus au score d'ENDURANCE de la créature. Si vous êtes *malchanceux,* cependant, la blessure n'était qu'une simple écorchure, et vous devez rajouter 1 point au score d'ENDURANCE de la créature (c'est-à-dire qu'au lieu d'enlever les 2 points correspondant à la blessure, vous n'aurez ôté que 1 seul point).

Si la créature vient de vous blesser, vous pouvez *Tenter votre Chance* pour essayer d'en minimiser les effets. Si vous êtes *chanceux,* vous avez réussi à atténuer le coup. Rajoutez alors 1 point d'ENDURANCE (c'est-à-dire qu'au lieu de 2 points ôtés à cause de la blessure, vous n'aurez que 1 point en moins). Si vous êtes *malchanceux,* le coup que vous avez pris était plus grave. Dans ce cas, enlevez encore 1 point à votre ENDURANCE.

Rappelez-vous que vous devez soustraire 1 point de votre total de CHANCE chaque fois que vous *Tentez votre Chance.*

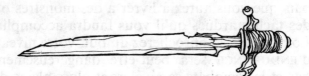

Comment rétablir votre Habileté, votre Endurance et votre Chance

Habileté

Vos points d'HABILETÉ ne changeront pas beaucoup au cours de votre aventure. A l'occasion, il peut vous être demandé d'augmenter ou de diminuer votre score d'HABILETÉ. Une arme magique peut augmenter cette HABILETÉ, mais rappelez-vous qu'on ne peut utiliser qu'une seule arme à la fois ! Vous ne pouvez revendiquer 2 bonus d'HABILETÉ sous prétexte que vous disposez de deux épées magiques. Vos points d'HABILETÉ ne peuvent jamais excéder leur total de départ sauf en certaines circonstances spécifiques. Boire la Potion d'Adresse (voir plus loin) vous permettra à tout moment de rétablir votre HABILETÉ à son niveau de départ.

Endurance et Provisions

Vos points d'ENDURANCE changeront beaucoup au cours de votre aventure en fonction des combats que vous aurez à livrer à des monstres ou des tâches ardues qu'il vous faudra accomplir. Lorsque vous approcherez du but, votre niveau d'ENDURANCE sera peut-être dangereusement bas et les combats se révéleront alors pleins de risques, aussi, soyez prudent !

Votre sac à dos contient suffisamment de Provisions pour dix repas. Vous ne pouvez vous reposer et manger que lorsque vous en recevez l'autorisation au cours des pages et vous n'avez droit de prendre qu'un seul repas à la fois. Un repas vous rend 4 points d'ENDURANCE. Quand vous prenez un repas, ajoutez 4 points à votre ENDURANCE et enlevez-en 1 à vos Provisions. Une case réservée à l'Etat de vos Provisions figure sur la *Feuille d'Aventure* pour vous permettre de noter où en sont vos vivres. Rappelez-vous que vous avez un long chemin à parcourir, aussi, sachez utiliser vos Provisions avec prudence !

Souvenez-vous également que vos points d'ENDURANCE ne peuvent pas excéder leur niveau de départ sauf si cela vous est spécifiquement indiqué sur une page du livre. Boire la Potion de Vigueur rétablira à tout moment votre ENDURANCE à son niveau initial.

Chance

Vos points de CHANCE augmentent au cours de l'aventure lorsque vous êtes particulièrement chanceux. Les détails vous seront donnés au long des pages. Rappelez-vous que, comme pour l'ENDURANCE et l'HABILETÉ, vos points de CHANCE ne peuvent excéder leur niveau de départ que si vous recevez des instructions spécifiques à ce sujet. Boire la Potion de Bonne

Fortune (voir plus loin) rétablira à tout moment votre CHANCE à son niveau initial et augmentera de 1 point votre CHANCE de départ.

Equipement
et potions

Au début de votre aventure, vous ne disposerez que d'un équipement minimal, mais vous pourrez trouver d'autres accessoires au cours de vos voyages. Vous êtes armé d'une épée et vêtu d'une armure de cuir. Vous portez sur vos épaules un sac à dos dans lequel vous rangerez vos provisions et les trésors que vous ramasserez. Vous avez également une lanterne pour vous éclairer.

Par ailleurs, vous avez droit à une bouteille contenant une potion magique qui vous aidera dans votre quête. Vous aurez à choisir entre les trois potions suivantes :

La Potion d'Adresse qui vous rend vos points d'HABILETÉ. La Potion de Vigueur qui vous rend vos points d'ENDURANCE. La Potion de Bonne Fortune qui vous rend vos points de CHANCE en ajoutant 1 point à votre total de départ.

Vous pouvez à tout moment boire l'une de ces potions au cours de votre aventure. En prenant une mesure de potion, vous retrouverez vos points d'HABILETÉ, d'ENDURANCE ou de CHANCE tels qu'ils étaient à leur niveau initial (et la Potion de Bonne Fortune ajoutera 1 point au total de CHANCE dont vous disposiez au départ. Lorsque vous retrouverez votre CHANCE, il faudra donc y ajouter ce point).

Chaque bouteille de potion contient deux mesures, c'est-à-dire que vous pourrez retrouver deux fois vos points de départ, au cours d'une même aventure, dans la catégorie choisie. Chaque fois que vous buvez une mesure, notez-le sur votre *Feuille d'Aventure*. Rappelez-vous également que vous n'avez droit qu'à *une seule* des trois potions : aussi, choisissez-la avec discernement !

Indications sur le jeu

Il y a un bon chemin à trouver dans la Forêt de la Malédiction, et il vous faudra plusieurs tentatives pour le découvrir. Prenez des notes et dessinez une carte au fur et à mesure de votre exploration. Cette carte vous servira lors de prochaines aventures et vous permettra d'avancer plus rapidement pour atteindre des endroits encore inconnus.

Les lieux que vous visiterez ne renferment pas tous un trésor. Certains recèlent des pièges ou des monstres qui se révéleront sans aucun doute très dangereux. Il y a beaucoup de passages qui ne mènent nulle part, et même si vous progressez vers le but de votre voyage, il n'est pas certain pour autant que vous trouviez ce que vous cherchez.

Comprenez bien que les paragraphes qui constituent ce livre n'ont aucun sens lus dans un ordre numérique. Il est essentiel que vous ne lisiez que les paragraphes qui vous sont indiqués. Ne pas respecter ce principe n'amènerait que confusion et pourrait diminuer l'intérêt du jeu.

Il n'y a qu'un minimum de risques à prendre pour découvrir le bon chemin, et n'importe quel joueur, même si ses points de départ sont faibles, peut trouver très facilement la voie.

Un Marteau
pour Gillibran

Vous êtes un aventurier, un condottiere infatigable, vagabondant aux frontières du royaume, dans les provinces du Septentrion. La vie morne et paisible des villageois vous répugne et l'on vous a toujours vu courir sans repos les plaines et les bois, en quête de richesses et de périls. Malgré les longues errances et les rigueurs de la vie à la belle étoile, votre destinée — toujours imprévisible — vous satisfait pleinement. Vous n'avez peur de rien en ce bas monde, car vous êtes un bretteur chevronné, toujours prompt à transpercer de votre fidèle épée quiconque, homme ou bête, se met en travers de votre route. Depuis dix jours que vous êtes entré dans les provinces du Nord, vous n'avez rencontré âme qui vive, ce qui d'ailleurs ne vous chagrine nullement : votre seule compagnie, en effet, vous suffit amplement et vous n'êtes pas fâché de passer quelques journées au soleil à chasser, à manger et à dormir.

Le soir est tombé et vous venez d'achever un repas de lièvre sauvage, rôti à la broche sur un feu de camp. Repu et content, vous vous allongez sous une couverture en peau de mouton, en vous promettant une longue et bonne nuit de sommeil. La lune est pleine et sa lueur se reflète sur la lame de votre épée plantée dans le sol auprès de vous. Cette épée que vous contemplez un instant en vous demandant combien de temps il s'écoulera encore avant que vous ayez à essuyer de son tranchant le sang de quelque créature abjecte. Car c'est une étrange contrée que vous avez entrepris de parcourir. On y rencontre des êtres singuliers bien propres à inspirer l'effroi : des elfes, des trolls et même des dragons.

Tandis que les dernières flammes de votre feu de camp s'éteignent lentement, vous vous laissez gagner par le sommeil et des visions de trolls à la face verdâtre et grimaçante vous traversent l'esprit. Mais soudain, dans un bosquet proche, vous percevez le bruit d'une branche morte craquant sous un pas malhabile. Vous vous levez d'un bond, empoignant votre épée que vous arrachez du sol, et vous restez là sans bouger, tous les sens en alerte, prêt à vous ruer sur un adversaire encore invisible. Vous entendez alors un gémissement immédiatement suivi du bruit sourd d'un corps s'écroulant sur le sol. S'agit-il d'un piège ? Vous vous approchez prudemment du bosquet d'où le bruit est venu et vous écartez quelques branches, puis vous regardez à terre et vous apercevez un petit homme, vieux, à la barbe en broussaille, le visage tordu par la douleur. Vous vous agenouillez auprès de lui pour ôter le casque de fer qui protège son crâne dégarni et vous remarquez alors deux flèches d'arbalète plantées dans son estomac : elles ont transpercé la cotte de mailles qui couvre son torse replet. Vous le soulevez de terre et vous le portez dans vos bras auprès du feu dont vous ranimez les braises. Après avoir étendu sur lui votre couverture en peau de mouton, vous parvenez à faire boire un peu d'eau au vieil homme. Il émet un grognement, tousse, s'assied, le buste raide, le regard fixe, puis se met à crier :

« Je les aurai ! Je les aurai ! N'aie crainte, Gillibran, Gromollet va venir t'apporter le marteau. J'y arriverai, oh oui, j'y arriverai... »

Le nain, dont vous supposez qu'il se nomme Gromollet, est de toute évidence pris de délire, sans doute à cause d'un poison dans lequel on a dû tremper les deux flèches fichées dans son estomac. Un instant plus tard, son buste retombe lourdement en arrière et vous vous approchez de son oreille pour murmurer son nom. Ses yeux vous fixent sans ciller lorsque, à nouveau, il se met à hurler :

« Un guet-apens ! Attention ! Un guet-apens ! Aaaarrrghhh ! Le marteau ! Apportez le marteau à Gillibran ! Sauvez les nains ! »

Ses yeux se ferment à demi, sa douleur semble s'atténuer et tandis que son délire le quitte, il s'adresse à vous dans un chuchotement :

« Aide-nous, ami... porte le marteau à Gillibran... Seul le marteau pourra unir notre peuple contre les Trolls... Nous faisions route vers la Forêt des Ténèbres, en quête du marteau... Le petit peuple nous a tendu une embuscade... les autres ont été tués... Il y a dans ma bourse la carte qui te mènera chez Yaztromo, le grand mage... lui seul peut te vendre les recettes magiques qui te protègeront contre les créatures de la Forêt des Ténèbres... prends mon or... Je t'en supplie, trouve le marteau et porte-le à Gillibran, le Seigneur de Pont-de-Pierre... tu en recevras bonne récompense... »

Gromollet ouvre la bouche pour dire encore quelques mots mais il ne parvient qu'à exhaler son dernier souffle. Vous vous asseyez alors devant son cadavre en repensant à ses paroles. Qui est Gillibran ? Qui est Yaztromo ? Que signifie toute cette histoire de marteau et de nains ? Vous vous approchez du corps de Gromollet et vous prenez la bourse attachée à sa ceinture. A l'intérieur, vous trouvez 30 Pièces d'Or et une carte (voir ci-contre).

En faisant sonner les pièces au creux de votre main, vous pensez à la récompense qui vous attend peut-être pour le simple fait de rapporter un marteau à un peuple de nains, et vous décidez soudain que vous irez bel et bien chercher ce marteau dans la Forêt des Ténèbres car votre dernière bonne bataille remonte déjà à quelques semaines. Or, vous aimez l'aventure, surtout si on vous promet une belle somme d'argent à l'arrivée...

Maintenant que vous avez pris votre décision, vous retournez vous coucher après avoir récupéré votre couverture sur le cadavre de l'infortuné Gromollet. Au matin, vous enterrez le vieux nain et vous ramassez vos affaires. Ensuite, vous étudiez la carte, puis vous vous orientez en observant la position du soleil. Alors, vous vous mettez en marche en direction du sud, en sifflant joyeusement et très curieux de rencontrer ce fameux Yaztromo pour voir ce qu'il a d'intéressant à vous proposer.

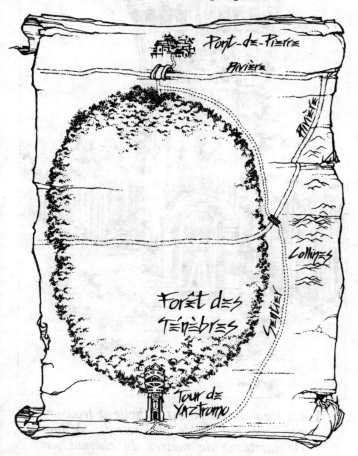

Et maintenant, tournez la page !

1 *La tour du mage est difficile à trouver,
car elle est bâtie en retrait, à une
cinquantaine de mètres du chemin, en
lisière de la forêt.*

1

Votre marche jusqu'à la maison de Yaztromo vous prend un peu plus d'une demi-journée et, lorsque vous arrivez à la tour de pierre où il a élu domicile, vous êtes couvert de poussière et vous avez grand-faim. La tour du mage est difficile à trouver car elle est bâtie en retrait, à une cinquantaine de mètres du chemin, en lisière de la Forêt. Lorsque enfin vous la découvrez, vous vous dirigez vers son immense porte de chêne avec un sentiment de soulagement en constatant qu'elle existe bel et bien, et qu'elle n'est pas le fruit du délire de Gromollet. Une grosse cloche de cuivre et un heurtoir sont accrochés sur le côté d'une arche de pierre qui marque l'entrée. Vous frappez alors la cloche et un frisson aussitôt vous parcourt l'échine, car le « bong » sonore que vous venez de produire résonne dans un silence profond dont vous n'aviez pas pris conscience jusqu'à cet instant.

On n'entend en effet ni chants d'oiseaux ni cris d'animaux. Vous attendez à la porte avec une certaine inquiétude, et vous entendez bientôt des bruits de pas qui descendent lentement un escalier, à l'intérieur de la tour. Un petit panneau glisse alors dans le bois de la porte, révélant une étroite ouverture en forme de fente, à travers laquelle une paire d'yeux soudainement apparus vous examine attentivement.
« Eh bien, qui êtes-vous ? » demande une voix rogue.
Vous répondez que vous êtes un aventurier et que vous cherchez le grand mage Yaztromo pour lui acheter quelques objets magiques qui

pourraient vous aider à combattre les créatures de la Forêt des Ténèbres.

« Ah, très bien ! si vous souhaitez m'acheter quelque chose, vous feriez mieux d'entrer. Je suis Yaztromo. »

Il vous ouvre alors la porte et vous invite à le suivre en montant les marches d'un escalier de pierre. Qu'allez-vous faire ?

Le suivre en haut des marches ?	Rendez-vous au **261**
Tirer votre épée et l'attaquer ?	Rendez-vous au **54**

2

Pour vous, l'aventure se termine ici : votre chair fraîche et savoureuse offrira un festin de choix à la Goule victorieuse.

3

Vous suivez cinq autres flèches qui vous mènent au tronc d'un vieil arbre mort, encore enraciné dans le sol. Vous remarquez alors que le tronc est creux, mais que ce creux se prolonge sous terre à une profondeur que vous ne pouvez évaluer en raison de l'obscurité. Possédez-vous un Anneau de Lumière ? Si oui, rendez-vous au **322.** Sinon, rendez-vous au **120.**

4

Vous perdez 4 points d'ENDURANCE. Si vous êtes toujours vivant, vous parvenez à arracher la flèche de votre épaule malgré la douleur insupportable que vous ressentez. Si vous souhaitez toujours entrer dans la caverne, rendez-vous au

49. Si vous préférez retourner au croisement, rendez-vous au **93**.

5

Assis sur ce trône somptueux, vous vous sentez étrangement mal à l'aise. Les deux Guerriers Clones sont prosternés devant vous dans une attitude de totale soumission. Vous considèrent-ils comme leur nouveau maître ? Si vous souhaitez placer sur votre tête la couronne d'or, rendez-vous au **333**. Si vous préférez quitter l'anfractuosité et monter les marches qui conduisent au sommet de la caverne, rendez-vous au **249**.

6

Lorsque vous passez devant le Lutin, il se met à pousser des grognements comme jamais vous n'en avez entendus auparavant, des grogne-ments tout à fait inhabituels chez un Lutin. Vous ressentez une certaine inquiétude, et vous vous dirigez en hâte vers le nord. Rendez-vous au **148**.

7

Vous tirez votre épée et vous vous apprêtez à en découdre avec ces agresseurs à rayures noires et jaunes. Ce sont des ABEILLES TUEUSES qui vous attaqueront en trois essaims séparés, chaque essaim devant être considéré comme un seul adversaire.

	HABILETÉ	ENDURANCE
Premier essaim d'ABEILLES TUEUSES	7	3
Deuxième essaim	8	4
Troisième essaim	7	4

Si vous sortez vainqueur de ce combat, rendez-vous au **23**.

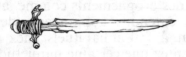

8

Tandis que vous marchez le long du chemin, vous entendez des pas et les échos d'une dispute à quelque distance devant vous. Si vous souhaitez rencontrer les personnages qui se chamaillent ainsi, rendez-vous au **317**. Si, en revanche, vous préférez vous cacher dans les buissons, au bord du chemin, pour les laisser passer sans être vu, rendez-vous au **392**.

9

Vous déverrouillez la porte de la cage et vous faites un pas en arrière, votre épée à la main, prêt à combattre si le Gobelin vous attaque. Ce dernier ramasse un tabouret de bois, le brandit au-dessus de sa tête et le jette contre la porte qui s'ouvre à la volée. Puis il se précipite sur vous en hurlant. Il faut vous battre.

GOBELIN   HABILETÉ : 5   ENDURANCE : 4

Si vous êtes vainqueur, rendez-vous au **176**.

10

Vous ramassez à terre un roc de bonne taille que vous lancez de toutes vos forces en visant l'Ogre. Hélas ! à votre grand désarroi, le roc manque sa cible, passe à côté de la tête de votre adversaire et se fracasse contre la paroi de la caverne. En poussant un juron, vous décidez de vous ruer sur l'Ogre pour l'attaquer (rendez-vous au **290**).

11

Vous commencez à perdre l'équilibre sous l'effet d'un vertige qui s'empare de tout votre être. Vous fermez les yeux et vous vous prenez la tête dans les mains, mais rien n'y fait ; vous faites quelques pas en vacillant, puis vous tombez évanoui sur le sol. Rendez-vous au **353**.

12

Vous admettez que vous avez peut-être été un peu trop prompt à tirer votre épée, mais vous vous en justifiez en faisant valoir que dans la Forêt des Ténèbres, il faut se tenir prêt à tout. Le Gnome répond que ce n'est pas une excuse, et que l'on ne menace pas ainsi un vieil homme sans défense. Il ajoute que si vous voulez récupérer votre épée, il vous en coûtera 10 Pièces d'Or ou deux objets précieux à choisir dans votre sac à dos. Vous lui donnez ce qu'il demande (à votre choix, de l'or ou deux objets), et, à votre grand soulagement, il vous rend votre chère épée. Si vous souhaitez poursuivre votre conversation avec le Gnome, rendez-vous au **271**. Si, au contraire, vous pensez l'avoir assez vu et que vous préfériez reprendre votre chemin vers l'ouest, rendez-vous au **67**.

13

Les vibrations vous font l'effet d'ondes de choc qui semblent marteler votre corps tout entier. Vous avez l'impression que vos jambes sont de plomb et vous ne pouvez plus les remuer. Soudain, la masure s'affaisse puis s'écroule sur le sol. Le ciel s'obscurcit, et un vent se lève en mugissant autour de vous. Le vent souffle de plus en plus fort en une véritable tempête dont la puissance vous projette à terre. Vous vous cramponnez aux montants de la véranda en vous protégeant le visage des tourbillons de poussière et de débris emportés par le vent. Couvrant le bruit assourdissant de la tempête, un rire retentit alors, suivi d'exclamations de joie poussées par une voix grave : « Je suis libre ! Je suis libre ! » dit la voix. Vous venez de libérer une FORCE TELLURIQUE qui vous fait perdre 3 points de CHANCE. Peu à peu, le vent cesse de hurler, il disparaît tout à fait et le ciel s'éclaire à nouveau. Vous vous relevez parmi les ruines et vous regagnez à pas lents le chemin que vous allez suivre en direction du nord. Rendez-vous au **149**.

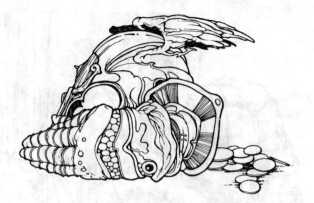

14

C'est une fosse circulaire, aux parois lisses et vous vous sentez trop faible pour essayer d'en sortir. Vous appelez à l'aide, mais personne ne se porte à votre secours. Il ne vous reste plus qu'à vous asseoir pour méditer sur votre sort. Une heure plus tard environ, vous entendez un bruit au-dessus de votre tête. Vous levez les yeux et vous apercevez le visage barbu d'un homme robuste, coiffé d'un bonnet de fourrure. Il semble fâché : c'est qu'il s'agit là du trappeur dont vous venez de détruire le piège en tombant dedans. L'homme vous apostrophe avec mauvaise humeur en vous avertissant qu'il vous en coûtera 3 Pièces d'Or si vous voulez qu'il vous tire de là à l'aide d'une corde. A défaut d'or, vous pourrez le dédommager en lui donnant l'un quelconque des objets magiques que vous transportez dans votre sac à dos. Vous acceptez de payer le trappeur courroucé (en choisissant vous-même votre moyen de paiement), et il vous

15 *Vous vous remettez aussitôt debout, et vous voyez luire alors la pointe d'un dard venimeux, au bout de la queue d'un Ver Piqueur qui vient droit vers vous.*

lance une corde qui vous permet de sortir de la fosse. Vous lui donnez son dû (n'oubliez pas de rayer de votre Liste d'Équipement l'objet ou les Pièces d'Or qui auront servi à vous acquitter), et vous lui adressez un regard furieux avant de repartir vers le nord, le long du défilé. Rendez-vous au **255**.

15

La paroi est abrupte. Soudain, vous glissez sur une flaque gluante et vous tombez cul par dessus tête au fond du trou, dans une vaste caverne creusée dans les profondeurs de la terre. Vous vous remettez aussitôt debout, et vous voyez luire alors la pointe d'un dard venimeux, au bout de la queue d'un VER PIQUEUR qui vient droit sur vous. Le Ver Piqueur est long de cinq mètres environ, et son corps est constitué d'énormes anneaux jaunâtres ; mais ce qui vous préoccupe surtout, c'est son dard redoutable dont vous devez à tout prix vous protéger. Vous n'avez pas le temps d'essayer de sortir du trou et il vous faut tirer votre épée pour combattre.

VER
PIQUEUR   HABILETÉ : 8   ENDURANCE : 7

Si vous êtes vainqueur, rendez-vous au **217**.

16

Vous interpellez les trois humanoïdes qui s'occupent du carré planté de champignons à chapeaux rouges. Ils continuent cependant de vous ignorer, poursuivant leur tâche sans même vous voir. Vous arrachez alors un morceau du chapeau de l'un des champignons, et vous commencez à le manger. Le goût en est agréable, mais une douleur terrible vous tord soudain l'estomac. Ce champignon est vénéneux. Possédez-vous une Potion Antipoison ? Si oui, rendez-vous au **211**. Sinon, rendez-vous au **345**.

17

Une échelle descend dans les profondeurs du puits jusqu'à la surface de l'eau. Juste au-dessus de l'eau, cependant, vous apercevez l'entrée d'un tunnel orienté vers le nord. Ce tunnel est une sorte de boyau circulaire d'un mètre de diamètre environ.

Vous avez le choix entre :

Jeter une Pièce d'Or dans le puits et faire un vœu	Rendez-vous au **89**
Descendre l'échelle pour aller voir ce tunnel d'un peu plus près	Rendez-vous au **256**
Retourner sur le chemin et prendre la direction de l'ouest	Rendez-vous au **238**

18

Votre idée était bonne et la fièvre retombe. Par bonheur, le poil qui couvrait vos mains disparaît bientôt, et vous vous allongez à nouveau, épuisé, pour replonger dans le sommeil. Au matin, vous ramassez vos affaires et vous suivez en direction du nord le chemin qui part vers les collines. Rendez-vous au **198**.

19

Bien qu'affaibli par la fièvre, vous parvenez à vous asseoir et vous empoignez votre épée. Puis, en serrant les dents, vous coupez le morceau de chair que le Loup-Garou a mordu. Le sang jaillit à flots de la blessure, emportant le mal avec lui. Réduisez de 1 point votre total d'ENDURANCE en raison du sang perdu. A présent, si vous êtes toujours vivant, rendez-vous au **18**.

20

Tandis que vous marchez vers l'est, vous passez devant un autre chemin orienté au sud, mais vous décidez de ne pas vous y aventurer et vous poursuivez dans la même direction. Rendez-vous au **277**.

21

La douleur se fait de plus en plus vive et vous vous hâtez de dénicher dans votre sac à dos la petite bouteille de Potion Antipoison. Vous buvez avidement son contenu et votre corps alors se détend, tandis que disparaissent les effets du poison. Vous vous demandez ce qui vous attend encore dans cette Forêt et vous vous remettez en chemin dans la direction du nord. Rendez-vous au **226**.

22

C'est un gaz toxique et vos yeux se mettent à pleurer. Vous toussez et vous retenez votre souffle en courant dans la caverne, pour tenter d'échapper au nuage de gaz qui vous enveloppe la tête. Vous avez l'impression que vos poumons vont exploser et vous ne pouvez plus vous empêcher de respirer. Otez 2 points à votre total d'HABILETÉ, et ôtez à votre total d'ENDURANCE le nombre de points que vous indiquera le dé lancé à cet effet. Si vous êtes toujours vivant, vous voyez avec soulagement le nuage de gaz se dissiper et vous rangez la boîte en argent dans votre sac à dos. Puis vous quittez aussitôt la caverne pour continuer en direction du nord. Rendez-vous au **358**.

23

Vous essuyez la sueur qui ruisselle sur votre front, en vous demandant ce que vous réserve encore cette contrée maléfique. Puis vous vous asseyez pour prendre quelque repos, et enfin, un peu plus tard, vous vous remettez en route en direction du cours d'eau que vous entendez couler un peu plus loin. Rendez-vous au **339**.

24

Les muscles de votre cou se raidissent, et vous commencez à ressentir dans tout votre corps les effets du poison inoculé par les flèchettes. En toute hâte, vous attrapez dans votre sac à dos la bouteille de Potion Antipoison et vous en avalez le contenu. Votre corps alors se détend et les effets du poison disparaissent. Voyant cela, les Pygmées font volte-face et s'enfuient dans les hautes herbes. Qu'allez-vous faire à présent ?

Tirer votre épée et pour-
suivre les Pygmées ?   Rendez-vous au **377**

Poursuivre votre chemin
en direction du nord ?   Rendez-vous au **92**

25

Le chemin vous amène bientôt au creux d'une vallée. Il continue vers le nord, mais un autre chemin s'éloigne en direction de l'ouest.

Si vous voulez poursuivre vers le nord **Rendez-vous au 369**

Si vous préférez aller à l'ouest **Rendez-vous au 56**

26

Vous commencez par vous intéresser aux livres rangés sur les étagères. Mais ils sont écrits en une langue inconnue et contiennent de mystérieux diagrammes. Quant aux cartes et aux rouleaux de parchemin, ils vous sont tout aussi incompréhensibles. Vous ouvrez placards et tiroirs mais vous ne trouvez rien d'autre que des livres, encore des livres aux reliures de cuir poussiéreuses. Vous êtes sur le point d'abandonner tout espoir de découvrir quelque chose lorsque vous apercevez un autre livre, mais sur le sol, cette fois : car il sert tout simplement à caler une table. Qu'allez-vous faire ?

Le ramasser ? **Rendez-vous au 91**

Abandonner vos recherches et reprendre votre chemin en direction du nord ? **Rendez-vous au 220**

27

Vous essuyez de votre épée l'épaisse sève verdâtre qui coulait dans les veines de l'Homme-

Arbre et vous reprenez votre chemin vers le nord. Vous êtes soulagé de voir que les arbres commencent à se clairsemer et qu'ils apparaissent moins menaçants. Rendez-vous au **329**.

28

Si vous possédez un Brassard de Force, rendez-vous au **52**. Sinon, rendez-vous au **266**.

29

Vous apercevez dans une petite clairière deux créatures courtes de taille, revêtues de cuirasse et la peau couverte de verrues. Les deux petits êtres semblent se disputer pour savoir qui doit surveiller la cuisson d'un lièvre embroché qui est en train de rôtir sur un feu de camp. En vous voyant, les deux créatures interrompent leur querelle et tirent leurs courtes épées. Il va vous falloir combattre ces ORQUES qui s'avancent sur vous.

	HABILETÉ	ENDURANCE
Premier ORQUE	5	5
Deuxième ORQUE	5	6

Si vous remportez la victoire, rendez-vous au **383**. Si vous souhaitez prendre la *Fuite* pendant le combat, vous pouvez le faire en retournant sur le chemin que vous suivrez vers le nord. Rendez-vous au **254**.

30

Vous perdez 2 points d'ENDURANCE en raison de votre profonde coupure au front. Si vous êtes toujours vivant, rendez-vous au **225**.

29 *Les deux petits êtres semblent se disputer pour savoir qui doit surveiller la cuisson d'un lièvre embroché qui est en train de rôtir sur un feu de camp.*

31

Vous rampez hors du tunnel et vous reprenez pied sur l'échelle, le long de la paroi du puits. Vous remontez à l'air libre et vous rejoignez le chemin. Rendez-vous au **362**.

32

Vous fouillez dans votre sac à dos pour y dénicher 10 Pièces d'Or et deux objets que vous donnez au dénommé Arragon. Modifiez en conséquence votre Liste d'Équipement. Arragon vous ordonne alors de partir, et vous quittez la maisonnette pour rejoindre le croisement. Vous perdez 1 point de CHANCE et vous poursuivez votre route en direction du nord. Rendez-vous au **150**.

33

Le moine hoche la tête. « Il semble qu'il n'y ait plus de charité en ce monde », soupire-t-il. Il hausse alors les épaules et repart vers le sud. Vous le regardez s'éloigner, puis vous reprenez votre chemin en direction du nord. Rendez-vous au **390**.

34

Tandis que vous frottez la lanterne, une fumée verte s'élève lentement de la mèche et commence à prendre forme. Bientôt apparaît devant vos yeux la silhouette d'un vieil homme gras, à la tête chauve, assis sur un coussin. Sa bouche s'ouvre sans hâte et il vous demande d'une voix grave : « Eh bien, que veux-tu ? » Vous lui racontez brièvement votre histoire et il vous répond qu'il ne peut vous donner aucun bien matériel, aucune richesse. Tout ce qu'il peut vous offrir, c'est de vous améliorer vous-même. Dès lors, vous aurez la possibilité de rétablir à leur niveau de départ vos points d'HABILETÉ ou d'ENDURANCE ou de CHANCE (choisissez). Après avoir ainsi modifié l'un ou l'autre de ces scores, le génie disparaît, et la lanterne s'éteint. Vous la jetez à terre et vous partez vers le nord. Rendez-vous au **231**.

35
Vous perdez 4 points d'ENDURANCE en raison de la terrible brûlure. Si vous êtes toujours vivant, rendez-vous au **132**.

36
Vous repensez à cet étranger et vous éprouvez en même temps un sentiment de malaise. Quelque chose dans ses manières a éveillé votre méfiance. Vous vous arrêtez un instant pour vérifier le contenu de votre sac à dos et vous êtes alors furieux de constater qu'il y manque quelque chose. Cet homme était un voleur! Vous allez devoir soustraire de vos biens soit toutes les Pièces d'Or qui vous restent, soit deux des objets magiques que vous avez achetés à Yaztromo. Modifiez en conséquence votre *Feuille d'Aventure*. Vous vous demandez si vous ne feriez pas mieux de courir après votre voleur, mais vous vous doutez qu'il n'est certainement pas parti dans la direction où il prétendait aller. Il ne vous reste donc plus qu'à le maudire et à poursuivre votre chemin vers le nord. Rendez-vous au **187**.

37

Vous tendez le bras vers une branche de l'arbre et vous cueillez un fruit en forme de poire et de couleur violette. Vous y mordez du bout des dents : son goût en est amer. Si vous souhaitez cracher ce que vous avez dans la bouche et poursuivre votre chemin vers le nord, rendez-vous au **226**. Mais si vous préférez manger le fruit, rendez-vous au **336**.

38

Vous jetez un regard par la petite fenêtre aux vitres sales de la cabane, et vous apercevez une vieille femme vêtue d'une robe malpropre. Son visage est ridé, elle a des verrues sur le nez, et elle est en train de lire un livre, assise près de la cheminée, au fond de la pièce. Une servante bossue lui apporte d'autres ouvrages qu'elle est allée prendre sur des étagères remplies de volumes anciens, de parchemins et de cartes. Si vous souhaitez entrer dans la cabane, rendez-vous au **315**. Si vous préférez retourner sur le chemin et poursuivre vers le nord, rendez-vous au **220**.

39

Vous déployez le filet et vous le faites tournoyer au-dessus de votre tête. Puis vous le lancez en direction du Troll des Cavernes. Le filet s'envole dans les airs et vient atterrir sur sa cible immobile. Le Troll des Cavernes s'éveille pour s'apercevoir qu'il est prisonnier des mailles dont il essaye vainement de se dégager. Vous vous précipitez alors vers la chaise de pierre et vous vous emparez du sac de cuir sous les yeux du Troll écumant de fureur. Enfin, vous quittez la

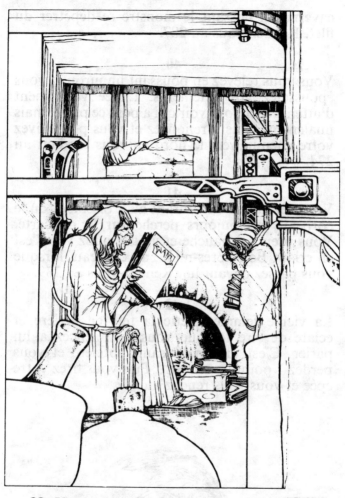

38 *Vous apercevez une vieille femme vêtue d'une robe malpropre. Son visage est ridé, elle a des verrues sur le nez, et elle est en train de lire un livre.*

caverne en laissant le monstre se dépêtrer du filet. Rendez-vous au **287.**

40

Vous vous relevez en poussant un juron et vous époussetez vos vêtements. L'idée vous vient d'attendre ici pour voir qui a posé ce piège, mais finalement vous y renoncez et vous poursuivez votre chemin vers le nord en vous rendant au **274.**

41

Vous retournez en courant au croisement où le corbeau est toujours perché sur la pancarte. Vous prenez à gauche et vous courez vers l'est en criant Bon après-midi ! au corbeau, lorsque vous passez devant lui. Rendez-vous au **239.**

42

La vieille femme rejette la tête en arrière et éclate de rire lorsque vous commencez à lui parler. C'est une malfaisante sorcière et vous perdez 1 point de CHANCE. Puis vous tirez votre épée et vous vous rendez au **342.**

43

Vous dégainez votre épée et vous vous lancez à l'assaut des Hommes des Bois qui cessent aussitôt de se disputer et vous font face en hurlant, leurs haches brandies.

	HABILETÉ	ENDURANCE
Premier HOMME DES BOIS	7	5
Deuxième HOMME DES BOIS	6	4

Vous les combattrez chacun son tour et si vous gagnez, rendez-vous au **50**. Mais vous avez le droit de prendre la *Fuite* en courant vers le nord. Rendez-vous dans ce cas au **188**.

44

Vous perdez 2 points d'ENDURANCE. Si vous êtes toujours vivant, vous trouvez vos Filtres à Nez dans une poche latérale de votre sac à dos, et vous les glissez aussitôt dans vos narines. Vous inspirez lentement l'air empoisonné, mais sans autre dommage et, bientôt, vous parvenez à respirer tout à fait librement. Peu à peu, le nuage de gaz se dissipe, mais il ne vous semble pas utile, cependant, de rester plus longtemps en ces lieux et vous vous dirigez vers les marches, dans le mur du fond. Rendez-vous au **293**.

45

Vous perdez 2 points d'ENDURANCE. Si vous êtes toujours vivant, rendez-vous au **165**.

46

La carotte vole vers le Gnome, mais avant de

l'avoir atteint, elle se transforme en un papillon qui se laisse emporter par la brise. Le Gnome alors se met à tailler un morceau de bois à l'aide d'un petit couteau, une expression d'ennui sur son visage. Vous perdez 2 points de CHANCE, et vous décidez de traiter le Gnome avec un peu plus de respect en commençant par lui présenter vos excuses. Rendez-vous au **12.**

47

Tandis que vous esquiviez la chaise, la Sorcière a prononcé quelques paroles étranges. Et soudain, elle disparaît dans un éclair aveuglant, puis reparaît sous la forme d'une chauve-souris qui s'envole par la porte ouverte. La servante bossue s'écroule alors sur le sol et se met à pleurer. Vous avez le choix entre :

Fouiller la cabane en quête de quelque chose qui pourrait vous être utile	Rendez-vous au **26**
Ou quitter la cabane et revenir sur le chemin pour poursuivre vers le nord	Rendez-vous au **220**

48

Vous soulevez le coffre au-dessus de votre tête et vous le fracassez contre le sol. Il s'ouvre aussitôt sous le choc, et vous voyez alors apparaître, parmi les débris de bois, un gros œuf de couleur bleu clair et de presque un mètre de diamètre. Vous le touchez du bout des doigts : il est dur et froid, on dirait du marbre. Or soudain, une fêlure apparaît à sa surface et, avant que vous ayez pu faire un geste, l'œuf explose en projetant de tous côtés des fragments de coquille tranchants comme des rasoirs. Lancez un dé pour savoir combien de ces fragments se sont plantés dans votre épiderme. Vous perdez 1 point d'ENDURANCE pour chaque fragment reçu. Si vous êtes toujours vivant, vous quittez la pièce d'un pas chancelant et vous poursuivez votre chemin en direction du nord. Rendez-vous au **288**.

49

Vous continuez le long du tunnel et vous pénétrez dans la caverne. Le plafond n'en est pas plus haut que celui du tunnel lui-même et il vous est impossible de vous tenir debout. La caverne est toute petite et remplie de meubles minuscules, d'objets de toutes sortes et de bibelots. Deux personnages à la peau verdâtre et au corps gracile surmonté d'une grosse tête se tiennent au milieu. Ils ont des oreilles pointues, un long nez, et leurs vêtements ont été taillés dans des sacs. Ils semblent complètement affolés et se précipitent sur vous, armé chacun d'un poignard. Il vous faut combattre ces GREMLINS car vous n'avez pas le temps de vous retourner pour vous enfuir.

	HABILETÉ	ENDURANCE
Premier GREMLIN	4	3
Deuxième GREMLIN	3	2

Vous affrontez les Gremlins chacun à son tour, mais vous devrez à chaque assaut réduire votre Force d'Attaque de 3 points : vous êtes, en effet, obligé de combattre à quatre pattes en raison de

49 *Deux personnages à la peau verdâtre et au corps gracile surmonté d'une grosse tête, se tiennent au milieu de la caverne.*

la hauteur du plafond. Si vous êtes vainqueur, rendez-vous au **371**.

50
Une petite clé d'argent est accrochée à un cordon de cuir que l'un des deux Hommes des Bois porte autour du cou. Vous dénouez le cordon et vous rangez la clé dans votre sac à dos. Puis vous repartez vers le nord. Rendez-vous au **188**.

51
Votre marche au fond de la verte vallée vous mène à une bifurcation. Si vous voulez prendre la direction du nord, rendez-vous au **199**. Si vous préférez continuer vers l'est, rendez-vous au **397**.

52
Quin vous annonce qu'il va miser un peu de Poudre de Lévitation contre un objet ou 10 Pièces d'Or. Et tandis que vous vous asseyez de l'autre côté de la table, face à lui, vous glissez adroitement votre Brassard de Force autour de votre bras. Vous posez ensuite votre coude sur la table et vous lui étreignez la main. Sa poigne est si ferme qu'on dirait une mâchoire d'acier, et ses yeux sombres et bridés expriment une totale confiance en lui. Son biceps se gonfle alors et il donne le signal du départ. Vous pesez aussitôt sur son bras et vous êtes étonné d'avoir tant de force. La sueur perle à son front et son visage traduit soudain la douleur et la stupéfaction. Vous poursuivez votre effort et vous lui plaquez le bras contre la table : il est vaincu. Rendez-vous au **78**.

53

Les muscles de votre cou commencent à se raidir et vous sentez les effets du poison envahir votre corps. Vous arrachez la fléchette de votre cou, mais il est trop tard : vos genoux se dérobent et vous vous écroulez sur le sol, sans connaissance. Lorsque vous reprenez conscience, vous constatez qu'on vous a laissé votre épée et les objets contenus dans votre sac à dos, mais qu'on vous a volé tout votre or. Les Pygmées ne vous ont pas laissé la moindre pièce. Vous brandissez le poing dans un geste de rage envers ces voleurs invisibles et vous reprenez votre route en direction du nord. Rendez-vous au **92**.

54

Lorsque vous tirez votre épée, Yaztromo se tourne vers vous sans manifester la moindre émotion et vous conseille de ne pas faire l'imbécile car ses pouvoirs magiques sont considérables. Si vous persistez à vouloir l'attaquer, rendez-vous au **399**. Si vous changez d'avis en revanche, suivez-le en haut des marches en vous rendant au **261**.

55

Vous fouillez dans votre sac à dos et vous en retirez le gant de soie violette qui vous va à merveille. Vous vous penchez ensuite pour ramasser une grosse pierre que vous lancez de toutes vos forces, en visant l'Ogre. La pierre file comme une flèche et assomme le monstre qui s'écroule sur le sol. La créature enfermée dans la cage saute alors en tous sens avec une frénésie redoublée. Qu'allez-vous faire à présent ?

Examiner d'un peu
plus près cette créature
dans sa cage ?   Rendez-vous au **168**

Fouiller la caverne ?   Rendez-vous au **313**

Quitter la caverne et
repartir vers le nord ?   Rendez-vous au **358**

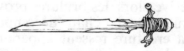

56

Vous cheminez au fond de la paisible vallée et vous arrivez à une bifurcation. Vous constatez alors que le sentier orienté au sud remonte vers les collines et vous décidez de ne pas l'emprunter. Si vous voulez poursuivre vers l'ouest, rendez-vous au **233**. Si vous préférez prendre la direction du nord, rendez-vous au **163**.

57

Vous vous dirigez vers la tanière pour aller y jeter un coup d'œil, mais une ombre, soudain, se

projette sur vous et vous entendez un grognement sonore au-dessus de votre tête. En levant
les yeux, vous apercevez alors une créature en
forme de dragon : elle a deux pattes, une peau
verdâtre couverte d'écailles et elle vole vers son
antre. Tandis qu'elle s'approche, un jet de
flammes jaillit de sa gueule : c'est vous qui êtes
visé. *Tentez votre Chance.* Si vous êtes Chanceux, le jet de feu vous manque et vient frapper
le sol à vos pieds. Rendez-vous au **132**. Si vous
êtes Malchanceux, les flammes s'abattent sur
vous et vous êtes précipité à terre. Rendez-vous
au **35**.

58

Vous fouillez dans votre sac à dos et vous en
retirez la petite bouteille d'Eau Bénite. Vous la
débouchez aussitôt et vous en jetez le contenu
sur la GOULE qui avance vers vous. Une fumée
épaisse s'élève alors des brûlures provoquée par
l'Eau Bénite sur la chair décomposée de la
Goule. La créature ressent apparemment une
intense douleur, mais aucun son ne sort de sa
bouche grande ouverte. Elle se traîne dans un
coin de la pièce pour essayer d'échapper à votre
arme sacrée, et vous vous approchez du cercueil
pour voir ce qu'il contient. Vous avez le
bonheur d'y trouver 25 Pièces d'Or, ainsi qu'un
objet dont la Goule se servait en guise d'oreiller : il s'agit d'un marteau à tête de bronze gravée de l'initiale G. Tout heureux de votre butin,
vous le rangez dans votre sac à dos et vous
remontez l'escalier pour quitter la crypte et
reprendre votre chemin vers le nord. Rendez-
vous au **112**.

57 *Une ombre, soudain, se projette sur vous,
et vous entendez un grognement sonore
au-dessus de votre tête. En levant les
yeux, vous apercevez alors une créature
en forme de dragon.*

59

Vous arrivez à une autre bifurcation et vous décidez de poursuivre vers l'est sans chercher à suivre le chemin orienté au sud. Rendez-vous au **171**.

60

Vous retenez votre souffle et vous fouillez dans votre sac à dos en cherchant désespérément vos Filtres à Nez. *Tentez votre Chance.* Si vous êtes Chanceux, vous les trouvez tout de suite et vous les glissez aussitôt dans vos narines. Rendez-vous au **183**. Si vous êtes Malchanceux, en revanche, vous n'arrivez pas à mettre la main dessus suffisamment vite et vous ne pouvez vous empêcher de respirer le gaz empoisonné. Rendez-vous au **44**.

61

Vous êtes bientôt de retour à la première bifurcation. Si vous désirez ramper en direction du sud pour retourner au puits, rendez-vous au **398**. Si vous préférez poursuivre vers l'est, rendez-vous au **151**.

62

Tandis que vous retirez votre épée du corps de votre dernier adversaire, l'étalon blanc s'enfuit au galop en direction de l'est et disparaît bientôt au loin. Vous faites alors volte-face et vous repartez vers l'ouest. Rendez-vous au **208**.

63

Lorsqu'il voit que la flèche vous a manqué, le Centaure se dresse sur ses pattes de derrière et se précipite sur vous au grand galop. Il vous faut faire un bond de côté pour éviter d'être renversé, et vous le voyez passer devant vous dans un nuage de poussière. Il s'arrête dix mètres plus loin, sur le chemin par lequel vous êtes venu ; et vous songez alors que l'idée d'affronter le Centaure n'était peut-être pas si bonne que ça. Vous rengainez aussitôt votre épée et vous décidez de traverser la rivière à pied. Rendez-vous au **178**.

64

Avant que l'Herbe d'Embrouille ait eu le temps de vous faire tomber sur le sol, vous parvenez à attraper dans votre sac à dos la bouteille contenant la Potion de Contrôle des Plantes et à avaler le liquide. Aussitôt, comme si elle avait été brûlée par une flamme, l'Herbe d'Embrouille relâche son étreinte et s'écarte du chemin. Vous décidez alors de vous enfuir à toutes jambes tant que durent les effets de la Potion. Rendez-vous au **142**.

65

Le pont tombe quasiment en ruine mais vous parvenez malgré tout à le franchir sans encombre. De l'autre côté, vous arrivez au pied de quelques collines tandis que le soir tombe, et vous installez votre camp derrière des rochers, à gauche du chemin. C'est là que vous avez décidé de passer la nuit, votre épée à portée de la main. Rendez-vous au **330**.

66

Vous avancez avec prudence sur les pierres glissantes et vous traversez ainsi la rivière. De l'autre côté, le chemin continue vers le nord, dans les collines ; mais le soir tombe et vous décidez d'installer votre camp pour la nuit sous un grand arbre solitaire, à droite du sentier. Vous allumez un feu de camp et vous vous couchez bientôt, votre épée au côté. Rendez-vous au **325**.

67

Vous arrivez à une autre bifurcation. L'embranchement qui va vers le sud retourne dans les collines, et vous décidez donc de poursuivre vers l'ouest. Rendez-vous au **113**.

68

Vous buvez lentement le liquide clair à la bouteille : il a un goût très amer, et vous avez soudain peur d'avoir fait une sottise en l'avalant. Mais, bientôt, une sensation de chaleur se diffuse dans tout votre corps et vous vous sentez revigoré. C'est une Potion de Santé que vous venez de boire et vous gagnez 3 points d'ENDU-RANCE. Puis vous vous remettez en route en prenant la direction de l'est. Rendez-vous au **59**.

69

Le tunnel s'enfonce de plus en plus profondément en direction de l'ouest et débouche, quelque soixante mètres plus loin, sur une vaste caverne aux parois verdâtres et suintantes. A travers une ouverture dans le plafond, un rayon de lumière s'infiltre dans la caverne et illumine le sol. De petits humanoïdes à la peau claire s'affairent çà et là, semblant accorder tous leurs soins à des champignons de différentes couleurs. De l'eau coule dans une rigole qui traverse la

72

Le chemin aboutit à une bifurcation. L'embranchement orienté au sud retourne à la forêt, et vous décidez donc de poursuivre en direction du nord. Rendez-vous au **138**.

73

Vous prenez votre élan et vous foncez sur la porte. Lancez deux dés. Si le chiffre obtenu est égal ou inférieur à votre total de CHANCE et à votre total d'HABILETÉ, la porte s'ouvre à la volée et vous vous rendez au **327**. Si ce chiffre est supérieur soit à votre total de CHANCE, soit à votre total d'HABILETÉ, vous rebondissez sur la porte et vous frottez votre épaule meurtrie. Vous estimez alors qu'il est inutile de risquer une blessure plus grave et vous retournez sur le chemin pour prendre la direction du nord. Rendez-vous au **112**.

74

Vous vous emparez du sac de cuir accroché au dossier de la chaise de pierre et vous quittez la caverne sur la pointe des pieds. Une fois dehors, vous examinez le contenu du sac et vous y trouvez 5 Pièces d'Or, ainsi qu'une petite cloche de cuivre. Vous rangez le tout dans votre sac à dos et vous revenez à la bifurcation pour prendre le chemin qui mène vers le nord. Rendez-vous au **25**.

75

Vos jambes vous semblent très vulnérables, et vous ne seriez guère étonné qu'une quelconque créature vivant dans l'eau de la rivière vienne

69 *Ce sont de petites créatures chauves aux yeux blancs, et votre présence ne semble pas les intéresser le moins du monde.*

caverne et des marches, taillées dans la paroi du fond, mènent à l'ouverture par laquelle entre la lumière du jour. Vous tirez votre épée et vous vous approchez de l'un des humanoïdes. Ce sont de petites créatures chauves aux yeux blancs, et votre présence ne semble pas les intéresser le moins du monde. Elles continuent imperturbablement à surveiller leurs champignons, se penchant de temps à autre pour en chasser des insectes ou arracher de mauvaises herbes. Qu'allez-vous faire ?

Attaquer l'un des petits humanoïdes ? — Rendez-vous au **264**

Couper un champignon avec votre épée ? — Rendez-vous au **143**

Demander à goûter un des champignons à chapeaux verts ? — Rendez-vous au **269**

Demander à goûter un des champignons à chapeaux rouges ? — Rendez-vous au **16**

70

L'épée est magnifique et c'est là, sans nul doute, l'œuvre d'un maître en matière d'armurerie. Vous en sentez la puissance en la tenant en main, et vous gagnez 2 points d'HABILETÉ grâce à cette épée enchantée. Vous en faites tournoyer la lame au-dessus de votre tête et vous repartez vers le nord, le long du défilé. Rendez-vous au **334**.

71

En écartant le rideau, vous apercevez une minuscule créature à la peau verdâtre. Le petit être a une grosse tête, un long nez, des oreilles pointues, et porte des vêtements de toile marron. A son cou, pend un gros médaillon accroché à une chaîne d'argent. Assis à une table, il est en train d'examiner une main d'homme, moulée en argile rouge. Lorsqu'il vous voit entrer, il saisit un marteau de pierre et fracasse la main d'argile, puis il se lève d'un bond et vous fait face, son marteau à la main. C'est un chef GREMLIN et il vous faut le combattre.

GREMLIN   HABILETÉ : 5   ENDURANCE : 5

A chaque assaut, vous devrez réduire de 3 points votre Force d'Attaque, en raison de l'exiguïté des lieux qui vous empêche de vous mouvoir librement. Si vous êtes vainqueur, rendez-vous au **273**.

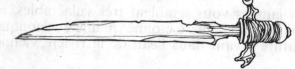

vous mordre les mollets. Rien ne se produit cependant, et vous parvenez à atteindre l'autre rive sans dommage. Vous vous trouvez à présent au pied de quelques collines alors que le soir tombe. Vous décidez donc d'installer votre camp pour la nuit et vous choisissez un emplacement à l'abri d'un amas de rochers situé à gauche du chemin. Quelques instants plus tard, vous vous apprêtez à vous endormir, votre épée à portée de main. Rendez-vous au **330**.

76

Le chemin oblique brusquement vers la droite et continue en direction du nord à travers d'épaisses broussailles. Rendez-vous au **206**.

77

Les Pygmées font aussitôt volte-face et s'enfuient dans les hautes herbes. Qu'allez-vous faire à présent ?

Tirer votre épée et les poursuivre ?   Rendez-vous au **377**

Poursuivre votre chemin vers le nord ?   Rendez-vous au **92**

78

Quin se lève et s'approche sans bruit d'un coffre de bois, au fond de la cabane. Il en soulève le couvercle et en retire une petite fiole de verre qu'il vous tend, avant de revenir vers la table où il se laisse tomber sur sa chaise, l'air profondément abattu. La poudre dans la fiole étincelle à la lumière, et vous la rangez soigneusement dans votre sac à dos. Vous quittez ensuite la cabane et vous revenez à la bifurcation. Rendez-vous au **349.**

79

Bien campé sur vos jambes, le dos contre l'arbre, vous vous préparez à combattre les Vampires ; et vous les affronterez un par un tandis qu'ils fondent sur vous.

	HABILETÉ	ENDURANCE
Premier VAMPIRE	5	5
Deuxième VAMPIRE	6	5
Troisième VAMPIRE	5	7

Si vous êtes vainqueur, rendez-vous au **386.**

80

Il ne vous semble pas utile de rester plus longtemps en cet endroit, et vous vous dirigez vers les marches, dans la paroi du fond. Rendez-vous au **293.**

81

Vous entendez à quelque distance des voix aiguës qui s'appellent les unes les autres d'un ton surexcité. Le tunnel aboutit à l'entrée d'une petite caverne et, soudain, une flèche jaillit dans votre direction. *Tentez votre Chance*. Si vous êtes Chanceux, la flèche vous siffle aux oreilles sans vous atteindre et vous vous rendez au **49.** Si vous êtes Malchanceux, la flèche vient se planter dans votre épaule. Rendez-vous au **4.**

82

Possédez-vous une Potion de Tranquillité ? Si oui, rendez-vous au **235**. Sinon, rendez-vous au **13**.

83

Vous fouillez dans votre sac à dos pour y prendre la belladone. C'est une plante vénéneuse, mais elle vous empêchera de vous changer vous-même en Loup-Garou. Vous perdez 2 points d'ENDURANCE en raison des effets du poison et, si vous êtes toujours vivant, vous vous rendez au **139**.

84

En vous approchant du rocher, vous êtes encore plus étonné de le voir se soulever, porté par ce qui semble deux courtes jambes de pierre. Deux bras, en pierre également, se déploient alors de part et d'autres ; leurs extrémités ressemblent à des massues, et vous contemplez, incrédule, ce rocher qui s'avance vers vous en brandissant l'une de ces massues de pierre. Fort heureusement, vous avez suffisamment de réflexe pour vous arracher à votre stupéfaction et vous tirez votre épée, prêt à combattre la BETE ROCHEUSE.

BETE
ROCHEUSE   HABILETÉ : 8   ENDURANCE : 11

Si vous êtes vainqueur, rendez-vous au **146**. Si vous souhaitez prendre la *Fuite*, vous pourrez le faire après avoir mené trois Assauts, et vous vous échapperez alors en direction du nord, vers le fond de la vallée. Rendez-vous au **245**.

85

A l'intérieur de la cage, une petite créature musculeuse à la peau brune et couverte d'écailles sautille en tous sens. Il s'agit d'un GOBELIN qui porte autour du cou, accroché à une lanière de cuir, un petit bâton d'un noir brillant. Si vous souhaitez ouvrir la porte de la cage, rendez-vous au **9**. Si vous préférez ne pas vous occuper de cette créature et quitter la caverne pour poursuivre votre chemin vers le nord, rendez-vous au **358**.

86

Vous vous accroupissez dans les hautes herbes et vous entendez, parmi les aboiements, le bruit d'un galop. Vous apercevez alors les pattes de quatre chiens de chasse et les jambes d'un cheval de course qui passent devant vous dans un nuage de poussière. Les échos de la chasse s'évanouissent au loin et vous allez rejoindre le chemin. Puis, avec une pensée pour le malheureux renard ainsi poursuivi, vous repartez vers le nord. Rendez-vous au **208**.

87

Le chemin mène le long d'une corniche, au flanc de la colline, et aboutit à une autre bifurcation. L'embranchement orienté au sud repart vers la rivière et vous décidez donc de poursuivre vers le nord. Rendez-vous au **90**.

88

Vous grimpez les marches et vous atteignez bientôt la deuxième anfractuosité. En y jetant un coup d'œil, vous apercevez de vagues silhouettes se déplaçant dans l'obscurité, et vous entendez également des bruits de pas traînants. Si vous souhaitez pénétrer dans cette anfractuosité, rendez-vous au **212**. Si vous préférez continuer à monter les marches, rendez-vous au **107**.

89

La pièce tombe dans l'eau avec un léger «plouf» et vous la rayez de votre Liste d'Equipement. Vous faites ensuite le vœu de recevoir d'autres Pièces d'Or, mais rien ne se produit : ce puits-là n'exauce pas les vœux. Qu'allez-vous faire à présent ?

Descendre l'échelle pour explorer le tunnel, au fond du puits ?	Rendez-vous au **256**
Retourner sur le chemin pour aller vers l'est ?	Rendez-vous au **281**
Retourner sur le chemin pour aller vers l'ouest ?	Rendez-vous au **238**

90

Le chemin mène vers le nord en descendant la colline entre de gros amas rocheux. Vous avez la désagréable sensation d'être observé et soudain, surgissant de derrière un gros roc, à gauche du sentier, apparaissent deux hommes au corps noueux, barbus et chevelus. Ils sont vêtus de peaux de bêtes et ont l'air menaçant. L'un des deux hommes tend alors son arc et vous décoche une flèche. *Tentez votre Chance*. Si vous êtes Chanceux, la flèche vous manque et vous vous

90 *Soudain, surgissant de derrière un gros roc à gauche du sentier, apparaissent deux hommes au corps noueux, barbus et chevelus.*

rendez au **210**. Si vous êtes Malchanceux, la flèche vient se planter dans votre épaule et vous perdez 3 points d'ENDURANCE. Dans ce dernier cas, si vous êtes toujours vivant, rendez-vous au **348**.

91

Vous ouvrez le livre et vous avez la surprise de constater que les pages ont été évidées en leur milieu, ménageant ainsi une cavité dans laquelle a été déposé un bijou attaché à une chaîne d'argent. Juste à côté se trouve un parchemin sur lequel on peut lire ces mots :

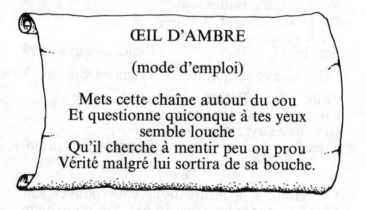

ŒIL D'AMBRE

(mode d'emploi)

Mets cette chaîne autour du cou
Et questionne quiconque à tes yeux
semble louche
Qu'il cherche à mentir peu ou prou
Vérité malgré lui sortira de sa bouche.

Vous passez le collier autour de votre cou, en pensant qu'il ne tardera pas à vous être utile dans cette forêt de malheur ! Par la même occasion, vous gagnez 1 point de CHANCE. Vous quittez ensuite la caverne, puis vous rejoignez le chemin pour prendre la direction du nord. Rendez-vous au **220**.

A mesure que vous avancez vers le nord, l'herbe est de moins en moins haute et le chemin remonte en pente douce. A quelque distance, vous entendez le son d'une eau courante. Mais vous percevez également un autre bruit — et infiniment plus inquiétant celui-là. C'est un énorme bourdonnement qui annonce l'arrivée d'un essaim d'Abeilles Géantes, chacun de ces insectes mesurant une bonne dizaine de centimètres de longueur. Or, l'essaim vole très exactement au-dessus de votre tête. Qu'allez-vous faire ?

Vous enfuir à toutes jambes pour essayer d'atteindre le cours d'eau un peu plus loin ? Rendez-vous au **299**

Faire face et combattre ? Rendez-vous au **7**

Boire une Potion de Contrôle des Insectes ? (si vous en avez une, bien entendu). Rendez-vous au **100**

93

De retour à la bifurcation, vous pouvez soit aller à l'est (rendez-vous au **61**), soit poursuivre en direction du sud (rendez-vous au **270**).

94

Vous prenez dans votre sac à dos la Corde Magique qui semble très bien savoir ce qu'elle a à faire : l'une de ses extrémités, en effet, s'enroule d'elle-même autour du tronc d'arbre, tandis que l'autre extrémité se laisse tomber dans le trou qui aboutit au tunnel, vous invitant ainsi à y descendre. Si vous souhaitez suivre cette voie, rendez-vous au **136**. Si vous préférez rejoindre le sentier et repartir vers le nord, rendez-vous au **144**.

95

Vous essayez de toutes vos forces de déplacer le bloc de pierre mais sans parvenir à le faire bouger d'un pouce. Avez-vous de la Poudre de Lévitation ? Si oui, rendez-vous au **173**. Sinon, rendez-vous au **368**.

96

Vous levez le bras pour frapper le Chien, mais celui-ci se met à grogner férocement et bondit sur vous.

CHIEN DE CHASSE   HABILETÉ : 7   ENDURANCE : 6

Si vous parvenez à tuer ce premier Chien, il vous faudra combattre les trois autres, ainsi que leur maître. Vous devrez les affronter deux par deux : ils vous attaqueront, en effet, par paires. Vous aurez à choisir dans chaque paire et à chaque Assaut l'adversaire que vous souhaitez combattre en priorité. Vous attaquerez cet adversaire selon les règles habituelles ; quant à l'autre, vous lancerez les dés pour calculer votre Force d'Attaque contre lui comme à l'accoutumée. Mais si cette Force d'Attaque est supérieure à la sienne, vous ne l'aurez pas blessé pour autant, vous aurez simplement esquivé le coup qu'il vous aura porté. En revanche, si c'est sa Force d'Attaque qui est supérieure à la vôtre, lui vous aura blessé à la manière habituelle. A chaque fois que vous aurez tué l'un des deux adversaires de chaque paire, le combat se poursuivra avec l'autre selon les règles normales.

	HABILETÉ	ENDURANCE
Première paire :		
CHIEN DE CHASSE	6	6
CHIEN DE CHASSE	5	6
Deuxième paire :		
CHIEN DE CHASSE	6	5
HOMME MASQUÉ	8	7

Si vous êtes vainqueur, rendez-vous au **62**.

97

Le sentier continue inlassablement vers le nord mais, au bout d'un moment, le feuillage des arbres s'éclaircit quelque peu et semble moins menaçant lorsque, enfin, des rayons de lumière parviennent à le traverser. Bientôt, vous apercevez à la droite du chemin une vieille chaise en bois de chêne couverte de mousse. Si vous souhaitez vous asseoir sur cette chaise pour vous reposer et prendre quelque nourriture, rendez-vous au **328**. Si vous préférez poursuivre vers le nord, rendez-vous au **118**.

98

Tandis que vous poursuivez votre chemin au sein de la Forêt des Ténèbres, vous êtes attaqué par un groupe d'Hommes des Bois, probablement les mêmes qui ont défait Gromollet et ses compagnons deux jours auparavant. *Tentez votre Chance*. Si vous êtes Chanceux, vous parvenez à vous échapper sans être atteint par les flèches qui tombent en pluie autour de vous, et vous vous rendez au **1**. Mais si vous êtes Malchanceux, vous glissez dans votre fuite et vous mourez criblé de flèches, ce qui, bien entendu, met fin à votre aventure.

99

Le chemin mène un peu plus loin, à la porte d'une cabane aux murs de boue séchée. La cabane est munie d'un toit en forme de dôme et d'une seule et unique fenêtre. En jetant un coup d'œil à travers la fenêtre, vous apercevez un homme grand, à la peau sombre, qui est assis à une table, au centre de la pièce. Il est torse nu et semble faire des exercices de musculation. Si vous souhaitez entrer dans la cabane, rendez-vous au **209**. Si vous préférez retourner à la bifurcation, rendez-vous au **349**.

100

Tandis que vous fouillez dans votre sac à dos, vous réalisez soudain — et avec terreur — que les gros insectes bourdonnant au-dessus de votre tête sont des ABEILLES TUEUSES. Vous saisissez alors votre bouteille de Potion de Contrôle des Insectes et vous en avalez le contenu. Les Abeilles Tueuses fondent aussitôt sur vous mais sans parvenir à vous atteindre : on dirait qu'elles se heurtent à un écran invisible et elles continuent de voler tout autour de vous dans un bourdonnement assourdissant, en essayant vainement de vous piquer. Avec un courage redoublé, vous tirez alors votre épée et vous la faites tournoyer en l'air : vous réussissez à toucher l'une des abeilles qui tombe sur le sol ; un instant plus tard, vous l'écrasez sous la semelle de cuir de votre sandale, et les autres insectes s'enfuient aussitôt au loin. Il ne vous reste plus qu'à poursuivre votre chemin vers le nord, en direction du bruit d'eau courante. Rendez-vous au **339**.

101

Vous prenez le sac de cuir sur la chaise en pierre et vous sortez. A l'intérieur du sac, vous découvrez 5 Pièces d'Or et une petite cloche de cuivre que vous rangez dans votre sac à dos. Puis vous revenez à la bifurcation, et vous poursuivez vers le nord. Rendez-vous au **25**.

102

En marchant le long du chemin, vous remarquez les traces laissées par les sabots d'un cheval se dirigeant vers l'est. Bientôt, vous parvenez à une autre bifurcation et les empreintes de sabots prennent la direction du sud, retournant vers la forêt. Vous décidez, quant à vous, d'aller vers le nord. Rendez-vous au **105**.

103

Le chemin mène à une petite clairière. Sur votre droite, vous apercevez un entassement de branches, d'herbe et de morceaux d'étoffe ; c'est sans doute le repaire de quelque créature de grande taille. Parmi les débris et les vieux os répandus çà et là, vous distinguez quelque chose de brillant. Si vous souhaitez aller voir de plus près de quoi il s'agit, rendez-vous au **57**. Si vous préférez vous hâter en direction du nord, rendez-vous au **360**.

104

La femme BANDIT s'avance vers vous en brandissant son épée. « Mort à l'intrus ! » s'écrie-t-elle. Elle est le chef de la bande, et c'est elle que vous allez devoir combattre en premier.

FEMME
BANDIT   HABILETÉ : 8   ENDURANCE : 6

Si vous parvenez à la vaincre, vous aurez ensuite à affronter les quatre autres bandits deux par deux. Ils vous attaqueront par paire, et vous devrez à chaque Assaut et dans chaque paire choisir celui que vous combattrez en priorité. Affrontez cet adversaire selon les règles habituelles. Quant à l'autre, vous jetterez les dés comme à l'accoutumée pour calculer vos Forces d'Attaque respectives ; mais si votre propre Force d'Attaque est supérieure à la sienne, vous ne lui aurez pas infligé une blessure pour autant, vous aurez simplement esquivé le coup qu'il vous aura porté. Si sa Force d'Attaque est en revanche supérieure à la vôtre, vous aurez reçu une blessure selon les règles habituelles. Chaque fois que vous aurez réussi à tuer l'un des adversaires de chaque paire, le combat se poursuivra avec l'autre selon les règles normales.

	HABILETÉ	ENDURANCE
Première paire :		
BANDIT A	7	6
BANDIT B	6	4
Deuxième paire :		
BANDIT A	7	5
BANDIT B	5	6

Si vous êtes vainqueur, rendez-vous au **311**.

105

Vous voyez au loin, à la droite du chemin, de gros oiseaux qui tournoient dans le ciel. En vous approchant, vous reconnaissez leur aspect caractéristique : ce sont des vautours. Si vous souhaitez quitter le chemin pour aller voir ce qui intéresse tant les vautours, rendez-vous au **384**. Si vous préférez laisser les charognards sans vous en occuper, vous poursuivrez votre chemin vers le nord, en vous rendant au **394**.

106

Posée sur les cendres de l'âtre, vous trouvez une petite bouilloire de cuivre noircie par les flammes. Vous en soulevez le couvercle, et vous découvrez à l'intérieur un anneau d'or serti d'une grosse émeraude. Cette bague vaut 15 Pièces d'Or, et cette bonne fortune vous rapporte 2 points de CHANCE. Tout heureux de votre trouvaille, vous décidez de ne pas vous occuper du coffre de bois et vous quittez les lieux pour continuer vers le nord. Rendez-vous au **288**.

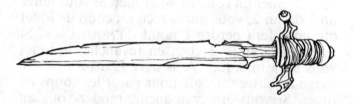

107

Au moment où vous montez les dernières marches qui mènent à l'anfractuosité, un jet de flammes vous barre la route. Puis une forme immense et sombre sort de la cavité rocheuse. Du feu lui jaillit des narines et des volutes de fumée noire s'élèvent dans la caverne. La créature a la forme d'un homme mais elle est dotée d'ailes. Dans une main, elle tient une épée de feu et, dans l'autre, un fouet. Sa tête est coiffée d'une couronne d'or. La créature vous fait face, debout sur les marches, au-dessus de vous. Elle reste ainsi immobile un instant, puis fait soudain claquer son fouet tout en brandissant son épée enflammée. La seule issue qui permette de sortir de la caverne se trouve à quelque distance devant vous, en haut des marches et, pour parvenir jusque-là, il vous faudra combattre le DEMON DE FEU, Maître des Clones.

DEMON
DE FEU   HABILETÉ : 10   ENDURANCE : 10

A chaque Assaut, après avoir déterminé vos Forces d'Attaque respectives, vous devrez lancer à nouveau un dé pour savoir s'il a réussi à vous donner un coup de son fouet. Si vous faites un 1 ou un 2, vous aurez reçu un coup de fouet qui vous fera perdre 1 point d'ENDURANCE. Si vous faites entre 3 et 6, en revanche, le fouet vous aura manqué. Vous avez le droit de faire usage de votre CHANCE pour parer les coups de fouet. Si vous êtes vainqueur, rendez-vous au **152**.

108
La douleur augmente et devient presque insupportable. Vous vous prenez le ventre à deux mains et vous tombez à genoux, la bouche écumante. Lorsque enfin la douleur disparaît, vous vous sentez très faible, et cette épreuve vous coûte 3 points d'ENDURANCE. Vous vous demandez ce qui peut bien vous attendre encore dans cette maudite forêt, et vous repartez en direction du nord. Rendez-vous au **226**.

107 *Puis une forme immense et sombre sort de la cavité rocheuse. Du feu lui jaillit des narines, et des volutes de fumée noire s'élèvent dans la caverne.*

Bientôt, le chemin sort de sous les arbres et vous conduit à une vaste plaine couverte de hautes herbes. Un peu plus loin, le sol monte en pente douce, et vous apercevez à quelque distance des collines basses dont les contours se découpent contre le ciel. Devant vous, le chemin se divise en trois embranchements.

Si vous voulez aller vers l'ouest	Rendez-vous au **124**
Si vous voulez aller à l'est	Rendez-vous au **72**
Si vous préférez poursuivre vers le nord	Rendez-vous au **309**

Si vous souhaitez fouiller le sac à dos en cuir du Gremlin, rendez-vous au **257**. Si vous préférez quitter le tunnel sans plus attendre, rendez-vous au **31**.

L'expression du visage d'Arragon passe aussitôt de la confiance à la peur. Il n'est peut-être pas aussi redoutable qu'il veut bien le dire et, soudain, en effet, il vous présente ses excuses pour s'être montré aussi agressif, essayant de se justifier par le fait que bandits et criminels de toutes sortes abondent dans les environs, et qu'il essaye de s'en protéger en se faisant passer pour un sorcier aux terribles pouvoirs. Il vous demande de lui pardonner et vous offre 5 Pièces d'Or si vous promettez de le laisser en paix, et de ne révéler à personne la supercherie. Vous acceptez le marché et vous quittez la maison ; puis vous retournez à la bifurcation pour reprendre la direction du nord. Rendez-vous au **150**.

112

Le sentier continue vers le nord à travers une végétation touffue. Bientôt, il oblique brusquement à droite en direction de l'est, et la végétation devient si dense par endroits, qu'il faut vous tailler un chemin à coups d'épée. Votre marche vers l'est est longue et pénible ; enfin, vous arrivez à une bifurcation. Consultant alors la carte de Gromollet, vous décidez de reprendre la direction du nord qui mène à Pont-de-Pierre, sans vous occuper du sentier étroit continuant vers l'est. Rendez-vous au **103**.

113

Le chemin oblique soudain vers la droite et mène droit au nord, à travers le lit d'une vallée. Sur la gauche, vous apercevez un vaste étang au bord duquel se trouve une petite cabane de bois au toit de chaume. Si vous voulez aller jeter un coup d'œil à la cabane, rendez-vous au **324**. Si vous préférez ne pas vous en occuper et continuer en direction du nord, rendez-vous alors au **149**.

114

L'Homme-Arbre avance lentement vers vous sur ses racines déployées. Si vous avez des Capsules de Feu, rendez-vous au **350**. Sinon, tirez votre épée et rendez-vous au **123**.

115

Le chemin arrive bientôt à une bifurcation. Si vous souhaitez aller vers l'ouest, rendez-vous au **382**. Si vous préférez prendre la direction de l'est, rendez-vous au **277**.

116

Vous parvenez finalement à vous rendormir, mais vous vous réveillez de bonne heure. Dans la lumière du matin, vous remarquez que le plus gros des Loups portait autour du cou un collier de cuir incrusté d'or, qui doit valoir 15 Pièces d'Or. Vous rangez le collier dans votre sac à dos en vous demandant qui peut bien être le maître du Loup. Puis vous rassemblez vos affaires, et vous repartez vers le nord. Rendez-vous au **314.**

117

Vous déverrouillez la porte, et vous faites un pas en arrière en tirant votre épée, au cas où le Gobelin se mêlerait de vouloir vous attaquer. La créature saisit alors un tabouret de bois qu'elle brandit au-dessus d'elle, puis elle ouvre la porte d'un coup de pied et se précipite sur vous en hurlant. Il vous faut combattre.

GOBELIN   HABILETÉ : 5   ENDURANCE : 4

Si vous êtes vainqueur, rendez-vous au **232.**

118

Le chemin finit par émerger de sous les feuillages, et débouche sur une vaste plaine. Un peu plus loin, le sol s'élève, menant à quelques collines basses. De chaque côté du chemin, des herbes hautes ondulent doucement sous la brise tiède. Tout est paisible et il semble qu'aucun danger grave ne vous menace. Vous marchez donc d'un pas confiant lorsque, soudain, le silence alentour est rompu par des cris et des grognements, à droite du chemin. En regardant de ce côté, vous voyez alors les herbes s'écarter sous les pas d'une bête encore invisible qui s'avance vers vous. Aussitôt, vous tirez votre épée, prêt à combattre. Et quelques instants plus tard, une énorme créature au pelage sombre et aux allures de cochon, surgit devant vous et s'immobilise sur le chemin. Deux longues défenses pointent de chaque côté de son groin et de la vapeur s'élève de son corps en sueur. Ses petits yeux vous regardent fixement, puis l'animal baisse la tête et fonce sur vous. Il va falloir affronter ce SANGLIER SAUVAGE.

SANGLIER
SAUVAGE   HABILETÉ : 6   ENDURANCE : 5

Si vous êtes vainqueur, rendez-vous au **174**.

119

Le chemin monte parmi les collines en suivant une pente escarpée et, lorsque vous parvenez au sommet, le soleil est brûlant. A quelque distance se dessine le cercle verdoyant de la Forêt des Ténèbres. Derrière vous, la brume du matin s'étend toujours sur les hautes herbes ; mais devant, les rayons du soleil illuminent une vallée sans nuages. Tout est calme et vous commencez à descendre le versant opposé de la colline. Vous arrivez alors à une bifurcation et vous pouvez soit continuer vers le nord en descendant la colline, (rendez-vous au **90**), soit suivre le sentier qui mène en direction de l'ouest (rendez-vous alors au **216**).

120

Vous laissez tomber un caillou dans le tronc creux. D'après le temps qu'il met à atteindre le sol du tunnel, vous estimez à cinq mètres la hauteur qui vous sépare du fond. Possédez-vous une Corde Magique ? Si oui, rendez-vous au **94**. Sinon, rendez-vous au **380**.

121

De retour à la bifurcation, vous pouvez soit aller vers l'est (rendez-vous au **61**), soit continuer vers le nord (rendez-vous au **81**).

122

Arrivé au bas de l'échelle, vous constatez que le tunnel mène vers le nord sur une bonne distance, et vous remarquez avec étonnement qu'il est éclairé sur toute sa longueur par des torches disposées à intervalles réguliers. Si vous souhaitez vous engager à quatre pattes dans ce tunnel, rendez-vous au **135**. Si vous préférez remonter l'échelle et retourner sur le chemin, rendez-vous au **362**.

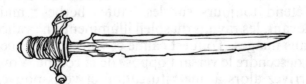

123

L'homme Arbre essaye de vous frapper à grands coups de ses deux grandes branches, et vous vous lancez à l'assaut.

HOMME ARBRE   HABILETÉ : 8   ENDURANCE : 8

Pour terrasser l'Homme Arbre, il faut le combattre deux fois : une fois pour chacune de ses deux grandes branches. Si vous êtes vainqueur, rendez-vous au **27**. Vous avez toutefois le droit de *fuir* en retournant à la bifurcation sur le chemin. Rendez-vous dans ce cas au **234**.

124

Le chemin aboutit à une autre bifurcation. L'embranchement orienté au sud ramène vers la forêt, et vous décidez donc de continuer en direction du nord. Rendez-vous au **180**.

125

Tandis que vous descendez dans le trou, vous remarquez une abondance de matière gluante, secrétée sans doute par quelque immense créature. Si vous souhaitez alors ressortir du trou et reprendre votre chemin vers le nord, rendez-vous au **337**. Si vous préférez continuer à descendre dans le trou, rendez-vous au **15**.

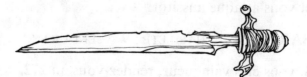

Vous forcez avec précaution le couvercle de la boîte et soudain, un nuage de gaz jaune s'en échappe, vous enveloppant le visage. Si vous possédez des Filtres à Nez, rendez-vous au **365**. Sinon, rendez-vous au **22**.

127

Vous montez sur le dos du Centaure qui se tourne vers la rivière pour la traverser. L'eau a une couleur vert sombre, et vous vous demandez quel genre de créatures peut bien se cacher dans ses profondeurs. Bientôt, vous atteignez l'autre rive et vous donnez au Centaure ses 3 Pièces d'Or. Il vous remercie, vous fait un signe d'adieu et vous souhaite bonne chance. Vous vous trouvez à présent au pied de quelques collines et le soir tombe. Vous décidez alors de camper sous un grand et vieux chêne, à droite du chemin, et vous vous installez pour dormir, votre épée à portée de main. Rendez-vous au **298**.

128

Vous tranchez les cordes épaisses qui retiennent le Barbare prisonnier. Celui-ci pousse un grognement puis s'assied, frottant ses poignets et ses chevilles endoloris. Il tourne ensuite son regard vers vous et se met à ricaner. Est-il fou ou ingrat ? En tout cas, il arrache un pieu du sol et vous attaque aussitôt.

BARBARE   HABILETÉ : 9   ENDURANCE : 7

Si vous êtes vainqueur, rendez-vous au **272**.

Votre bras est douloureux en raison de l'effort fourni, et vous ne vous consolez pas d'avoir dû laisser cela à Quin. Cette mésaventure vous fait perdre 2 points de CHANCE et vous quittez la cabane, laissant là un Quin souriant et satisfait. Vous retournez ensuite à la bifurcation en vous rendant au **349**.

130

Le chemin s'enfonce parmi les arbres noueux et les buissons d'épines. Bientôt, vous entendez un grognement au-dessus de votre tête et vous apercevez, allongée sur une branche qui surplombe le sentier, une créature moitié femme, moitié félin. Elle a le pelage ras et d'un noir brillant comme celui d'une panthère, et ses bras et ses jambes sont dotés de grosses pattes aux griffes acérées. Le visage de la créature, cependant, a des traits humains, avec des yeux en amande, mais de longues dents de fauve. Il vous semble qu'elle s'apprête à bondir sur vous et, si vous voulez tirer votre épée pour combattre cette FEMME FÉLINE, rendez-vous au **153**. Si vous préférez vous enfuir à toutes jambes droit devant vous, déduisez 1 point de votre total de CHANCE et rendez-vous au **355**.

131

Vous vous hissez hors de l'eau sur la berge opposée de la rivière. Le chemin continue vers le nord, en direction des collines ; mais, comme le soir tombe, vous décidez d'établir votre campement ici même sous un grand arbre solitaire, à droite du chemin. Vous allumez un feu et vous

vous installez pour dormir, votre épée à portée de main. Rendez-vous au **325**.

132

La créature qui se pose devant vous est une VOUIVRE VOLANTE. Elle vous fixe du regard et ouvre sa gueule immense pour cracher à nouveau un jet de feu rugissant. Le monstre est long d'une bonne dizaine de mètres, et ses écailles épaisses semblent invulnérables à votre épée. Avez vous une flûte ? Si oui, rendez-vous au **258**. Sinon, rendez-vous au **167**.

133

Vous glissez l'anneau à votre majeur et vous ressentez aussitôt une douleur fulgurante. La douleur finit par disparaître, mais vous ne parvenez plus à enlever la bague. Or, il s'agit là d'un Anneau de Lenteur qui vous obligera à déduire 2 points du total obtenu aux dés lorsque vous calculerez votre Force d'Attaque au cours des combats à venir. Notez-le sur votre *Feuille d'Aventure* et, à présent, si vous souhaitez essayer le gantelet, rendez-vous au **374**. Si vous préférez ne pas vous en occuper (ou si vous l'avez déjà essayé), repartez vers le nord, le long du chemin, et rendez-vous au **360**.

134

Vous faites un vœu, mais rien ne se produit et vous perdez 1 point de CHANCE. Si vous voulez frotter vos blessures avec de la boue chaude, rendez-vous au **283**. Si vous souhaitez vous remettre en route en direction du nord, rendez-vous au **303**.

135

Le tunnel continue vers le nord jusqu'à ce que vous parveniez à une bifurcation. Si vous souhaitez ramper vers l'ouest, rendez-vous au **284**. Si vous préférez ramper vers l'est, rendez-vous au **151**.

136

Vous descendez dans le tunnel à l'aide de la corde et, lorsque vos yeux commencent à s'habituer à l'obscurité, vous vous apercevez qu'il n'a pas plus d'un mètre de hauteur. Pour l'explorer, il va donc falloir avancer à quatre pattes. Rendez-vous au **69**.

137

Si vous possédez un Gant d'Adresse au Lancer, rendez-vous au **55**. Sinon, rendez-vous au **10**.

138

Vous avancez sur le chemin, entre les hautes herbes qui ondulent sous le vent. Mais bientôt vous avez la désagréable impression que ces herbes, en fait, ne se soumettent pas au souffle de la brise : il semble plutôt qu'elles soient douées de volonté et qu'elles puissent remuer à leur guise. Et soudain, un bouquet d'herbes se couche en travers du sentier et s'enroule autour de votre cheville. D'autres herbes font de même, essayant de vous saisir bras et jambes. Vous vous rendez compte alors que vous êtes cerné par de l'HERBE D'EMBROUILLE et si vous possédez une Potion de Contrôle des Plantes, il est urgent de vous rendre au **64**. Sinon, rendez-vous au **159**.

Les effets de la belladone et de la morsure du Loup-Garou disparaissent bientôt, et vous parvenez enfin à vous rendormir. Au matin, vous ramassez vos affaires et vous repartez vers le nord, sur le chemin qui mène en direction des collines. Rendez-vous au **198.**

140

Vous contournez la masse bulbeuse de l'Araignée Géante et vous vous recouchez pour plonger dans un sommeil agité. Au matin, vous vous réveillez de bonne heure et vous repartez vers le nord, le long du chemin. Le sentier suit bientôt une pente escarpée en montant dans les collines et, lorsque vous arrivez au sommet, le soleil est brûlant. A quelque distance, vous apercevez le cercle verdoyant de la Forêt des Ténèbres. Derrière vous, la brume du matin s'étend sur les hautes herbes mais devant, les rayons du soleil illuminent une vallée sans nuages. Tout est calme et vous commencez à descendre le versant opposé de la colline. Bientôt, le chemin bifurque et vous pouvez soit continuer vers le nord en descendant la colline (rendez-vous au **25),** soit prendre l'embranchement qui mène en direction de l'est (rendez-vous au **267).**

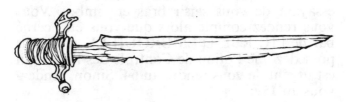

Vous demandez au Nain s'il vient de Pont-de-Pierre. Il vous lance alors un regard mauvais et se lève d'un bond, sa hache à la main. Puis il vous déclare qu'il voue une véritable haine aux Nains de Pont-de-Pierre, et qu'il parcourt la Forêt des Ténèbres en quête du marteau de guerre de Gillibran, pour le rapporter à Eau-de-Boue, son propre village, qui se trouve à l'ouest. Il ajoute que son nom est Gayemainar et qu'il a perdu son aigle préféré et égaré ses viandes en essayant de s'emparer du marteau de guerre de Gillibran. Vous êtes donc en train de parler à un ennemi de Pont-de-Pierre, ce qui vous fait perdre 1 point de CHANCE. Si vous souhaitez attaquer Gayemainar, rendez-vous au **347**. Si vous préférez lui dire que vous ne pouvez lui être d'aucune aide, prenez congé de lui et poursuivez votre chemin vers l'est en vous rendant au **59**.

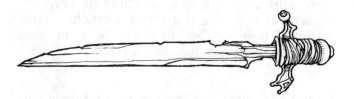

142

Tandis que le chemin continue vers le nord, l'herbe est de moins en moins haute et le sol s'élève légèrement. Un peu plus loin, vous entendez le bruit d'une eau courante et vous arrivez bientôt sur la berge d'une rivière au cours paisible. Il n'y a pas de pont pour la tra-

verser, mais le chemin se prolonge de l'autre
côté. Debout, devant vous, se tient un animal
magnifique, moitié homme, moitié cheval, d'une
blancheur étincelante. Il porte en bandoulière
un arc et un carquois de flèches : c'est un CEN-
TAURE. Qu'allez-vous faire ?

Engager la conversation
avec lui ?   Rendez-vous au **366**

Le contourner et tra-
verser la rivière à pied ?   Rendez-vous au **178**

Tirer votre épée et l'atta-
quer ?   Rendez-vous au **251**

143

Votre épée s'enfonce dans le champignon haut
d'un mètre, comme s'il s'agissait d'une grosse
motte de beurre, mais un nuage de spores
s'échappe aussitôt de son pied transpercé, et
vous éprouvez quelque difficulté à respirer.
Vous vous mettez à tousser et à cracher, vous
perdez 2 points d'ENDURANCE. Si vous êtes
toujours vivant, rendez-vous au **80**.

144

En poursuivant votre chemin au fond de la vallée, vous voyez bientôt se dresser une nouvelle
fois devant vous le mur sombre de la Forêt des
Ténèbres. Le sentier s'enfonce droit dans
l'épaisse végétation et, quelques instants plus
tard, vous avancez parmi des arbres imposants
et des buissons d'épines enchevêtrés. Il fait sombre et tout est calme. Peu après, le chemin
aboutit à une bifurcation, et, si vous souhaitez

142 *Debout, devant vous, se tient un animal magnifique, moitié homme, moitié cheval, d'une blancheur étincelante.*

prendre la direction de l'ouest, vous devrez vous rendre au **213**. Si vous préférez en revanche aller vers l'est, rendez-vous au **387**.

145

Vous dénouez l'amarre du bateau, et vous traversez la rivière à la rame. Mais lorsque vous êtes à peu près à mi-chemin, vous vous apercevez que l'eau s'infiltre dans le fond de l'embarcation. En vérité, la coque est pleine de trous, et le bateau commence à couler : il ne vous reste plus, dès lors, qu'à prendre vos affaires et à nager vers l'autre rive. Mais, après avoir pris pied sur la berge, vous constatez avec désespoir que toutes vos provisions (si toutefois vous en aviez encore) se sont gâtées au contact de l'eau. Le soir tombe, à présent : et vous décidez d'installer votre camp à l'abri de quelques rochers, à droite du chemin. Vous allumez un grand feu et vous vous couchez, votre épée à portée de la main. Rendez-vous au **285**.

146

Vous contemplez le tas de rocs fracassés qui repose à vos pieds, et vous vous demandez comment une telle bête a bien pu voir le jour ; sans doute est-ce là l'œuvre de quelque démon particulièrement malfaisant ? Vous ne le saurez jamais. Quoi qu'il en soit, si vous désirez emporter avec vous un morceau de la pierre qui constituait le corps de la Bête Rocheuse afin de l'examiner plus tard, notez-le sur votre Liste d'Équipement. A présent, vous retournez sur le chemin, et vous repartez vers le nord, en direction de la vallée. Rendez-vous au **245**.

Le chemin mène vers le nord, dans l'épaisse forêt. Dans l'une des rares clairières qui s'ouvrent parmi les arbres, vous apercevez un filet de fumée s'élevant de la cheminée d'une cabane en bois située à votre droite. Si vous souhaitez jeter un coup d'œil par la fenêtre de la cabane, rendez-vous au **38**. Si vous préférez poursuivre vers le nord, rendez-vous au **220**.

Le chemin continue vers le nord et vous parvenez bientôt à une autre bifurcation. Si vous désirez poursuivre en direction du nord, rendez-vous au **97**. Si vous préférez aller vers l'ouest, rendez-vous au **20**.

Tandis que vous cheminez au fond de la vallée, vous voyez bientôt se dresser devant vous le mur vert sombre de la Forêt des Ténèbres. Le sentier s'enfonce dans l'épaisse végétation et, quelques instants plus tard, vous avancez parmi des arbres imposants et des buissons d'épines. L'obscurité règne et tout est calme. Plus loin, le chemin bifurque. Si vous voulez aller vers l'est, vous devrez vous rendre au **130**. Si vous préférez, en revanche, prendre la direction du nord, rendez-vous au **306**.

En cheminant vers le nord, à travers la verte vallée, vous apercevez bientôt le mur vert sombre de la Forêt des Ténèbres qui se dresse devant vous. Le sentier s'enfonce dans l'épaisse végétation et quelques instants plus tard, vous avancez parmi des arbres imposants et des buissons d'épines. L'obscurité règne et tout est calme. Un peu plus loin, le chemin aboutit à une bifurcation ; et si vous souhaitez prendre la direction de l'ouest, vous devrez vous rendre au **357**. Si, en revanche, vous préférez aller à l'est, rendez-vous au **171**.

151

Le tunnel débouche sur une caverne dont l'entrée est masquée par un rideau qui vous empêche de voir à l'intérieur. Si vous souhaitez écarter le rideau et pénétrer dans la caverne, rendez-vous au **71**. Si vous préférez rebrousser chemin et revenir à la bifurcation, dans le tunnel, rendez-vous au **296**.

152

En proie à son agonie, le Démon de Feu est englouti dans ses propres flammes, et vous vous avancez pour vous emparer de sa couronne, tandis qu'il s'écroule en un petit tas de cendres.

Sa tanière est froide et humide. Elle abrite un trône magnifique devant lequel se prosternent deux Guerriers Clones qui se soumettent à vous dans une attitude de révérence ; vous avez en effet vaincu leur maître, et à présent vous pouvez :

Mettre la couronne sur votre tête	Rendez-vous au **333**
Vous asseoir sur le trône	Rendez-vous au **5**
Enjamber les restes du Démon et monter jusqu'en haut des marches	Rendez-vous au **249**

153

La Femme Féline grogne et gronde en montrant les dents avant de bondir sur vous pour vous attaquer. Vous reculez d'un pas et vous vous préparez à combattre.

FEMME FÉLINE   HABILETÉ : 8   ENDURANCE : 5

Si vous êtes vainqueur, rendez-vous au **202**. Vous pouvez, si vous le souhaitez, prendre la *Fuite* en courant vers l'est, le long du chemin. Rendez-vous dans ce cas au **355**.

154

Vous vous relevez et vous constatez que la lanterne a pris une teinte noire. Vous décidez de la laisser là et vous repartez vers le nord, le long du chemin (rendez-vous au **231**).

155

Vous vous recouchez pour essayer de vous rendormir, mais vous vous mettez à frissonner et à trembler tandis que la sueur ruisselle sur votre corps, bien que vous ayez très froid. Avez-vous de la belladone ? Si oui, rendez-vous au **83**. Sinon, rendez-vous au **259**.

156

Vous commencez à en avoir assez de tomber sans cesse. D'autant que vous vous êtes fait mal. Vos diverses contusions vous coûtent d'ailleurs 3 points d'ENDURANCE et, si vous êtes toujours vivant, vous vous relevez et vous repartez vers le nord, le long du chemin. Rendez-vous au **109**.

157

A gauche du chemin, vous remarquez un grand trou, large d'environ trois mètres. Vous vous avancez tout au bord, et vous constatez qu'il s'enfonce dans les profondeurs de la terre. Ses parois sont en pente douce et vous pouvez descendre dans le trou en marchant. Si cette visite vous intéresse, rendez-vous au **125**. Si vous préférez poursuivre votre chemin vers le nord, rendez-vous au **337**.

158

Vous commencez à perdre l'équilibre tandis que l'illusion perturbe votre esprit. Vous fermez alors les yeux et vous fouillez dans votre sac à dos pour y dénicher le Bandeau de Concentration que vous vous hâtez de placer sur votre tête. Vos vertiges disparaissent aussitôt et vous rouvrez les yeux : la vieille femme qui se tient devant vous — vous le savez maintenant — est une SORCIÈRE. Pour vous empêcher d'approcher d'elle, sa servante vous lance à la tête une chaise de bois. *Tentez votre Chance*. Si vous êtes Chanceux, la chaise vous manque et vous vous rendez au **47**. Si vous êtes Malchanceux, en revanche, la chaise vous heurte à la tempe et vous assomme pour le compte. Rendez-vous au **353**.

159

Vous avez beau vous débattre, l'Herbe d'Embrouille parvient à agripper vos bras et vos jambes, et à vous faire tomber sur le sol. L'une des herbes s'enroule alors autour de votre cou et resserre son étreinte. Vous avalez de travers et vous essayez de tousser, puis vous réalisez soudain que l'Herbe d'Embrouille n'a pas l'intention de vous étrangler : elle veut simplement entrer en contact avec les parties de votre corps qui ne sont pas protégées par vos vêtements pour vous sucer le sang ! Avec un haut-le-cœur, vous voyez en effet sur vos bras et vos jambes des centaines de traces de piqûres d'où perlent des gouttes de sang et, lorsque enfin l'Herbe a bu tout son content, elle vous relâche et reprend sa place. Ce repas pris à vos dépens vous coûte 3 points d'ENDURANCE et, si vous êtes toujours vivant, vous vous relevez et vous restez debout tout tremblant en frottant vos plaies. Soulagé d'avoir survécu, vous repartez ensuite vers le nord. Rendez-vous au **142**.

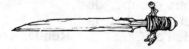

L'étroit sentier continue de s'enfoncer dans la forêt épaisse. Toutes sortes de cris d'animaux et de bruits étranges retentissent à travers les feuillages ; et bientôt, le chemin s'agrandit : il fait à présent un mètre de large. Peu après, vous arrivez devant un poteau indicateur en bois. Il est couvert de mousse et, à son sommet, un gros corbeau est perché. Le panneau porte deux indications : nord et est. Vous êtes en train de vous demander quelle direction prendre, lorsque vous entendez une voix lancer : « Bon après-midi ! » Vous levez les yeux en direction de l'endroit d'où la voix est venue, et vous voyez le corbeau qui vous regarde attentivement. « Bon après-midi », répondez-vous à voix basse, en vous sentant un peu idiot. Le corbeau alors reprend la parole et vous demande où vous allez. Vous lui répondez que vous cherchez deux Gobelins, des petites créatures au corps noueux et à la peau brune et écailleuse. « Pour une Pièce d'Or, je vous donnerai conseil », dit aussitôt le corbeau. Qu'allez-vous faire ?

Payer au corbeau le prix qu'il demande pour son conseil ?   Rendez-vous au **343**

Ne pas vous occuper de l'oiseau et poursuivre votre chemin vers le nord ?   Rendez-vous au **8**

Ne pas vous occuper de l'oiseau et prendre la direction de l'est ?   Rendez-vous au **239**

160 *Vous arrivez devant un poteau indicateur en bois. Il est couvert de mousse et, à son sommet, un gros corbeau est perché.*

161

En plongeant la main dans la noirceur d'encre du vase, vous ressentez soudain une violente douleur. Vous avez d'abord l'impression qu'on vous a écrasé la main, puis qu'on vous la brûle. Si vous souhaitez sortir votre main du vase, rendez-vous au **185**. Si vous préférez y chercher à tâtons ce qui s'y cache, rendez-vous au **341**.

162

Il n'y a rien d'utile ou de précieux dans la caverne de l'Homme-Poisson ; et vous vous dirigez vers la paroi située au nord. Des marches permettent de retraverser la chute d'eau, et mènent ensuite au sommet de la pente nord du défilé. Vous vous trouvez à présent au pied de quelques collines et vous voyez que le chemin monte parmi elles en direction du nord. Le soir tombe, et vous décidez d'établir votre campement derrière un amas rocheux, à droite du chemin. Vous allumez un grand feu et vous vous installez pour dormir, votre épée à portée de main. Rendez-vous au **285**.

163

Bien qu'il fasse plein soleil, un minuscule nuage gris apparaît dans le ciel. Il se trouve à très basse altitude et semble s'approcher de vous. A mesure qu'il avance, vous constatez qu'il se déplace à très grande vitesse et, finalement, il s'immobilise au-dessus de vous à environ cinq mètres du sol. Puis soudain, un éclair jaillit du nuage et vient vous frapper à l'épaule. Vous perdez 3 points d'ENDURANCE. Si vous êtes toujours vivant, vous voyez le nuage filer à toute vitesse en direction de l'ouest. Vous reprenez vos esprits et vous repartez vers le nord. Rendez-vous au **375**.

164

Vous montez les dernières marches et vous vous retrouvez hors de la caverne, sur l'herbe grasse et verte de la vallée. A l'est, vous voyez le tronc creux par lequel vous êtes descendu peu de temps auparavant, et vous passez devant pour retourner sur le chemin. Vous repartez alors vers le nord. Rendez-vous au **144**.

165

Le petit Gremlin fait preuve d'une grande agilité, sautillant tout autour de vous, alors que vous parvenez difficilement à bouger en restant ainsi à quatre pattes. Vous prenez appui contre un mur et vous tirez votre épée.

GREMLIN   HABILETÉ : 5   ENDURANCE : 3

A chaque Assaut, vous devrez réduire de 3 points votre Force d'Attaque en raison de votre position malaisée. Si vous êtes vainqueur, rendez-vous au **242**.

166

Le moine sourit et vous dit : « Soyez béni. » Puis il s'incline pour vous saluer et s'en va vers le sud, en sifflotant le long du chemin. Vous gagnez 2 points de CHANCE et vous prenez la direction du nord. Rendez-vous au **390**.

167

La longue queue de la Vouivre cingle l'air de tous côtés ; et des volutes de fumée s'élèvent des narines de la créature. Vous tirez votre épée et vous vous préparez à affronter ce monstre redoutable.

VOUIVRE
VOLANTE   HABILETÉ : 10   ENDURANCE : 11

Si vous êtes vainqueur, rendez-vous au **305**.

168

A l'intérieur de la cage, une petite créature au corps noueux et à la peau brune et écailleuse bondit en tous sens. C'est un GOBELIN. Il porte au cou, accroché à une lanière de cuir, un bâton noir et brillant. Si vous souhaitez déverrouiller la porte de la cage, rendez-vous au **117**. Si vous préférez quitter la caverne et poursuivre votre chemin vers le nord, rendez-vous au **358**.

169

Le gaz est toxique et vos yeux commencent à larmoyer. Vous toussez et vous retenez votre souffle tandis que vous courez dans la caverne, en vous efforçant d'échapper au nuage de gaz qui vous enveloppe. Mais bientôt, vous avez l'impression que vos poumons vont éclater ; et vous ne pouvez vous empêcher de respirer. Vous perdez 2 points d'HABILETÉ et autant de points d'ENDURANCE que le chiffre obtenu en lançant un dé. Si vous êtes toujours vivant, le nuage de gaz se dissipe et vous rangez la boîte d'argent dans votre sac à dos. Si vous voulez vous approcher à présent de la créature enfermée dans la cage, rendez-vous au **85**. Si vous préférez quitter la caverne et poursuivre votre route en direction du nord, rendez-vous au **358**.

170

Vous entrez dans une pièce richement meublée, décorée d'objets d'art et de tapis de laine. Un vieil homme vêtu d'une ample robe violette et la tête coiffée d'un chapeau pointu, est assis à un bureau devant le mur du fond. « Je suis Arragon, dit le vieil homme en se levant, et tu n'es qu'un piètre mortel. Or, voici que tu as l'audace d'entrer chez moi sans y avoir été invité, pour me dérober sans doute mes biens et mes richesses. Mais tu te trompes, étranger, car c'est moi qui vais te soulager de tes biens. Si tu ne me donnes pas, en effet, 10 pièces d'Or et deux des objets que tu transportes dans ton sac à dos pour ajouter à ma magnifique collection, je te changerai aussitôt en pierre ». Avez-vous l'Œil d'Ambre autour du cou ? Si oui, rendez-vous au **223**. Sinon, rendez-vous au **346**.

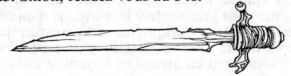

171

Le chemin mène à une autre bifurcation. Le sentier orienté au sud retourne dans la vallée et vous décidez donc de rester dans la forêt, en continuant vers le nord. Rendez-vous au **190.**

172

Une échelle permet de descendre dans le puits, jusqu'à la surface de l'eau. L'entrée d'un tunnel orienté vers le nord apparaît juste au-dessus de l'eau : c'est un boyau circulaire, large d'environ un mètre. Vous avez le choix entre :

Jeter une pièce dans le puits et faire un vœu	Rendez-vous au **89**
Descendre l'échelle pour aller voir ce tunnel	Rendez-vous au **256**
Retourner sur le chemin et partir vers l'est	Rendez-vous au **281**

173

Vous prenez dans votre sac à dos la fiole de verre qui contient la poudre étincelante, vous en répandez le contenu sur le bloc de pierre. Celui-ci commence alors à se soulever et, lorsque vous jetez un coup d'œil à l'intérieur du coffre, vous vous apercevez avec dégoût qu'un cadavre en décomposition y est enfermé. C'est un squelette auquel sont encore rattachés des lambeaux de chair qui se mêlent aux haillons dont il est revêtu. Vous avez soulevé le couvercle d'un cercueil où repose quelque maudite créature pas même morte ; car un instant plus tard, vous faites un bond en arrière en voyant le cadavre cligner des yeux et les ouvrir. Vous vous trouvez dans une crypte maléfique où règne un mystérieux suppôt de Satan. Lentement, la créature se redresse dans son cercueil et s'avance vers vous, les bras tendus. Possédez-vous de l'Eau Bénite ? Si oui, rendez-vous au **58**. Sinon, rendez-vous au **227**.

174

Tandis que vous retirez votre épée de la carcasse du Sanglier Sauvage, vous vous demandez pourquoi il vous a attaqué. Vous entendez alors au lointain des aboiements de chiens. Peut-être était-il poursuivi par une meute et, se voyant pris au piège, a-t-il voulu livrer contre vous son dernier combat ? Passé dans le groin du sanglier, vous trouvez un anneau d'or que vous arrachez aussitôt pour le ranger dans votre sac à dos. Cet anneau vaut 10 Pièces d'Or et vous fait gagner 1 point de CHANCE. Rendez-vous au **323**.

175

La serrure du coffre est vieille et rouillée : inutile d'essayer de la forcer. Si vous voulez essayer de soulever le coffre pour le fracasser contre le sol, rendez-vous au **372**. Si vous préférez l'abandonner là, et fouiller plutôt la cheminée, rendez-vous au **106**.

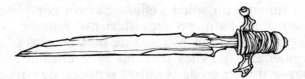

Vous vous penchez sur le cadavre du Gobelin fou et vous examinez le bâton accroché à son cou. Il a été taillé dans un morceau d'ébène et il est muni d'un pas de vis à l'une de ses extrémités. La lettre G est gravée à l'autre bout, et vous éprouvez un sentiment d'excitation à l'idée que vous venez de découvrir là ce qui doit être le manche du marteau de guerre que vous recherchez. Vous rangez alors votre trouvaille dans votre sac à dos et vous poursuivez votre quête en direction du nord. Rendez-vous au **358.**

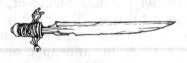

177

Dehors, à la lumière du plein jour, vous remarquez à nouveau ce silence mortel. Un étroit sentier mène vers le nord, s'éloignant des hautes herbes qui entourent la maison de Yaztromo pour s'enfoncer dans la végétation touffue de la Forêt des Ténèbres. Vous avez à peine fait quelques pas que vous vous retrouvez cerné par l'obscurité de cette forêt inextricable ; des pierres et des racines noueuses semblent se cacher dans l'ombre, et vous pourriez presque croire qu'elles cherchent à vous faire trébucher. La lumière du soleil s'efface bientôt complètement et l'atmosphère devient humide et déplaisante. Vous avancez de plus en plus profondément dans les ténèbres et le chemin finit par se diviser en deux autres sentiers, de part et

112

d'autre d'un grand et vieil arbre. Si vous voulez aller vers l'ouest, rendez-vous au **289**. Si vous préférez aller à l'est, rendez-vous au **160**.

178

Tandis que vous entrez dans l'eau, le Centaure s'en va au galop vers le sud, le long du chemin. L'eau de la rivière a une teinte vert foncé et vous vous demandez si quelques créatures ne se cachent pas dans ses profondeurs. L'eau vous monte seulement jusqu'à la taille mais elle est si froide que vos jambes s'engourdissent. Vous avez l'impression que quelque chose est entré en contact avec vos jambes, des herbes peut-être ; mais il est difficile, en vérité, de deviner de quoi il s'agit. Vous atteignez enfin l'autre berge et vous vous hissez hors de l'eau. Vous examinez alors vos jambes et vous avez une réaction de dégoût en voyant une grosse sangsue noire, d'environ 15 centimètres de long, accrochée à votre cuisse. Vous fouillez dans votre sac à dos pour y prendre du sel et vous en frottez le répugnant animal qui se recroqueville aussitôt et se détache de votre jambe. Vous perdez une ration de vos Provisions en raison du sel utilisé. Vous rejetez ensuite à la rivière la sangsue ratatinée, et vous jetez un coup d'œil autour de vous. Vous vous trouvez à présent au pied de quelques collines, et le soir tombe. Vous remarquez que le chemin monte parmi les collines en direction du nord et vous décidez d'établir votre campement sous un vieux chêne immense, situé à droite du sentier. Quelques instants plus tard, vous vous installez pour dormir, votre épée à portée de la main. Rendez-vous au **298**.

179

Vous vous coiffez du casque et, aussitôt, une énergie nouvelle parcourt tout votre corps : vous vous sentez fort et rien ne vous fait peur. Ce casque a des vertus magiques : il vous permettra, chaque fois que vous vous en coifferez, d'ajouter 1 point à votre Force d'Attaque, lors de futurs combats. Inscrivez-le sur votre Liste d'Equipement puis, reprenez votre marche en direction du nord. Tout heureux de votre trouvaille, vous vous rendez alors au **115**.

180

Vous marchez rapidement le long du sentier, à travers les hautes herbes qui vous arrivent à la taille, et vous arrivez à une nouvelle bifurcation. Si vous souhaitez poursuivre votre chemin vers le nord, rendez-vous au **105**. Si, en revanche, vous préférez aller à l'ouest, rendez-vous au **361**.

181

Vous suivez les marches et vous traversez la chute d'eau pour entrer dans une vaste caverne ; les marches contournent un bassin d'eau stagnante. De l'autre côté du bassin, vous trouvez une table et une chaise de pierre. En vous approchant de la table, vous voyez des déchets de poisson abandonnés là et, soudain, vous entendez derrière vous un bruit d'eau. Une étrange créature armée d'un trident surgit alors du bassin et s'avance vers vous. Elle a les jambes d'un homme, mais sa tête et son torse ressemblent au corps d'un gros poisson vert aux yeux globuleux. Ses bras ont également quelque chose d'humain, bien qu'ils soient recouverts

181 *Une étrange créature armée d'un trident surgit alors du bassin, et s'avance vers vous.*

d'écailles. Il s'agit d'un HOMME-POISSON et il vous faut le combattre.

HOMME-
POISSON   HABILETÉ : 7   ENDURANCE : 6

Si vous êtes vainqueur, rendez-vous au **162.**

182

Vous empoignez l'épée et vous posez un pied sur le rocher pour y prendre appui. Lancez deux dés. Si le chiffre obtenu est égal ou inférieur à votre total d'HABILETÉ, l'épée glisse lentement et se détache de la pierre ; rendez-vous au **70.** Si ce chiffre est supérieur à ce même total, l'épée ne bouge pas d'un pouce. Vous finissez par vous fatiguer et vous renoncez. Vous reprenez ensuite votre chemin vers le nord en descendant au fond de la vallée ; rendez-vous au **334.**

183

Vous inhalez lentement l'air empoisonné qui vous environne, mais vous n'en ressentez aucun inconvénient et, bientôt, vous pouvez à nouveau respirer librement. Quelques instants plus tard, le nuage de gaz se dissipe, mais comme il ne servirait pas à grand-chose de rester plus longtemps en ces lieux, vous vous dirigez vers les marches dans la paroi opposée. Rendez-vous au **293.**

184

Vous racontez au moine que vous avez pris une cloche de cuivre à un Troll des Cavernes, et vous la lui montrez. Il se met alors à sauter de joie en criant : « Ô mon Dieu, quelle chance ! quelle chance ! » Puis il fouille dans une bourse de cuir qu'il porte à la ceinture et en retire une petite fiole de verre. Vous lui donnez la cloche et il vous confie la fiole que vous débouchez et dont vous avalez le contenu. Vous gagnez aussitôt 4 points d'ENDURANCE. Le moine ensuite vous serre la main et se confond en remerciements. Vous vous séparez enfin, lui partant vers le sud, tandis que vous poursuivez votre route en direction du nord. Rendez-vous au **390**.

185

Vous êtes étonné de constater que votre main ne porte aucune trace de blessure, et vous essayez de la replonger dans le vase ; mais une barrière invisible en protège maintenant l'ouverture et il vous est impossible de la forcer. A présent, vous pouvez soit jeter le vase à terre pour tenter de le fracasser (rendez-vous au **250**), soit le remettre là où vous l'avez pris, et retourner sur le chemin pour repartir vers le nord (rendez-vous au **149**).

186

Vous entrez dans l'eau et vous avancez en direction de la berge opposée. Vous avez de l'eau jusqu'à la ceinture, une eau trouble dans laquelle se cachent peut-être toutes sortes de créatures qui peuvent représenter pour vous un danger. Et soudain, vos appréhensions se trouvent justifiées, car vous sentez des dents pointues se planter dans votre cuisse. En portant alors votre main à l'endroit mordu, vous sentez sous vos doigts le corps long et mince d'une ANGUILLE CARNIVORE. Vous tirez aussitôt votre épée et vous essayez de transpercer l'animal.

ANGUILLE
CARNIVORE HABILETÉ : 5   ENDURANCE : 4

Si vous êtes vainqueur, rendez-vous au **131.**

187

En cheminant le long du sentier sinueux, vous apercevez bientôt une petite créature au corps noueux et à la peau brune et écailleuse. Elle est assise sur un tronc d'arbre mort à la droite du chemin, et son visage paraît maussade tandis qu'elle balance lentement entre ses doigts un bâton d'un noir brillant accroché à une lanière de cuir. C'est peut-être l'un des Gobelins que vous cherchez. Qu'allez-vous faire ?

Tirer votre épée et attaquer le Gobelin ?	Rendez-vous au **286**
Engager la conversation avec lui ?	Rendez-vous au **203**
Ne pas vous en occuper et poursuivre votre chemin vers le nord ?	Rendez-vous au **6**

188

En descendant la colline, vous contemplez le fond de la vallée qui s'étend devant vous. Au-delà se dresse un sinistre mur de feuillages : la Forêt des Ténèbres ! De l'autre côté de ces arbres, se trouve le but de votre voyage : Pont-de-Pierre. En arrivant au fond de la vallée, le chemin aboutit à une bifurcation. Si vous voulez aller vers l'ouest, rendez-vous au **221**. Si vous préférez prendre la direction de l'est, rendez-vous au **359**.

189

Deux des humanoïdes sont en train d'arroser les champignons à chapeaux verts. Si vous souhaitez goûter à ces champignons, rendez-vous au **269**. Si vous préférez quitter la caverne en montant les marches dans la paroi opposée, rendez-vous au **293**.

190

Vous entendez à quelque distance le piétinement d'un pas lourd et des craquements de branches. Il semble qu'une énorme créature se dirige vers vous : si vous souhaitez savoir de qui il s'agit, rendez-vous au **265**. Si au contraire vous préférez vous cacher dans les buissons au bord du chemin, rendez-vous au **318**.

191

Le moine semble en grand émoi et marche nerveusement d'un côté et d'autre, tandis que vous lui parlez. Vous lui demandez ce qui lui cause un si grand désarroi et il vous répond qu'on a volé sa cloche sacrée, une cloche en cuivre. Il serait prêt à donner comme récompense à quiconque la lui rendrait une potion magique de guérison. Avez-vous une cloche de cuivre dans votre sac à dos ? Si oui, rendez-vous au **184**. Sinon, rendez-vous au **243**.

192

Vous tirez votre épée, mais le Gnome s'assied en tailleur et sourit. Vous baissez alors les yeux et vous constatez que votre épée s'est soudain transformée en carotte ! Si vous souhaitez présenter vos excuses au Gnome pour avoir été aussi irréfléchi, rendez-vous au **12**. Si vous préférez lui jeter la carotte à la tête, rendez-vous au **46**.

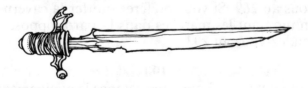

193

Un petit GREMLIN à la peau verte saute du dernier barreau de l'échelle et entre dans le tunnel. Il ne mesure pas plus d'un mètre de haut et semble très surpris de vous voir là, accroupi dans le tunnel. Il sort aussitôt un poignard de sa veste et vous allez devoir le combattre.

GREMLIN   HABILETÉ : 4   ENDURANCE : 4

A chaque Assaut, vous devrez réduire de 3 points votre Force d'Attaque en raison de votre position malaisée. Si vous êtes vainqueur, rendez-vous au **110**.

194

L'homme sourit et ôte son masque en vous expliquant qu'il le porte pour se protéger de la poussière, et non pas pour se cacher le visage à la manière des voleurs. Vous rengainez alors votre épée et vous vous détendez quelque peu. L'homme vous déclare qu'il est un chasseur et que le meilleur gibier de la région se trouve dans cette plaine herbeuse, au sein de la Forêt des Ténèbres. Il ajoute que ses chiens étaient en train de poursuivre un sanglier sauvage lorsque, perdant sa trace, ils se sont mis à courir par erreur derrière le renard. L'homme vous avertit que des bêtes dangereuses se cachent alentour : « Et si vous avez l'intention de passer la nuit dans la Forêt des Ténèbres, poursuit-il, vous pourriez bien avoir besoin de ceci. » Il vous met alors un peu de belladone dans la main et remonte sur son cheval. Puis, au son de son cor, il lance ses chiens vers l'est et vous adresse un signe de la main, avant de repartir au galop derrière sa meute. Vous rangez la belladone dans votre sac à dos et vous poursuivez votre chemin vers l'ouest. Rendez-vous au **208**.

Vous parvenez tout en haut de la liane et vous prenez pied sur une plate-forme de bois. Un rideau fait de feuilles et de fougères dissimule l'entrée d'une petite cabane ; lorsque vous vous approchez, le rideau s'écarte, laissant apparaître une immense créature simiesque, le corps couvert de poils, et vêtue d'une simple peau de bête nouée autour des reins. La créature brandit un gros os et se met à grogner vers vous. Il s'agit là d'un HOMME SINGE. Qu'allez-vous faire ?

Tirer votre épée et l'attaquer ?   Rendez-vous au **352**

Sauter de la plate-forme sur le sol, cinq mètres au-dessous ?   Rendez-vous au **156**

196

Vous pénétrez dans la sombre caverne, votre épée à la main. L'atmosphère est froide et humide. Vous entendez bientôt un ronflement sonore et lorsque vos yeux se sont habitués à l'obscurité, vous distinguez la forme imposante d'un Troll des Cavernes, dormant sur une grande chaise de pierre. Il a la peau brune et ridée et il est vêtu de peaux de bêtes. Une massue est posée sur ses genoux et un grand sac de cuir pend au dossier de sa chaise. Qu'allez-vous faire ?

Ramper en direction de la chaise et essayer de vous emparer du sac pendant que le Troll est endormi ?

Rendez-vous au **376**

Prendre dans votre sac à dos le Filet de Capture ? (si vous le possédez)

Rendez-vous au **39**

Retourner à la bifurcation et poursuivre votre chemin vers le nord ?

Rendez-vous au **25**

197

Si vous avez une Potion Antipoison, rendez-vous au **24**. Sinon, rendez-vous au **53**.

198

Le chemin devient de plus en plus escarpé à mesure qu'il monte dans les collines. Lorsque vous parvenez au sommet, le soleil est brûlant et vous apercevez au loin le cercle vert foncé de la Forêt des Ténèbres. La brume du matin s'étend sur les hautes herbes, derrière vous, mais devant, les rayons du soleil illuminent une vallée sans nuages. Tout est calme. Vous descendez alors le versant opposé de la colline et vous arrivez bientôt à une bifurcation. Vous pouvez soit continuer vers le nord en descendant la colline (rendez-vous au **278**), soit prendre le sentier qui mène en direction de l'est (rendez-vous au **87**).

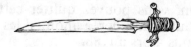

123

199

Vous remarquez, à gauche du chemin, un vaste bassin d'eau boueuse et bouillonnante. De la vapeur s'élève des grosses bulles qui éclatent bruyamment à sa surface. Qu'allez-vous faire ?

Jeter une Pièce d'Or dans
la boue et faire un vœu ?   Rendez-vous au **134**

Frotter vos blessures
avec de la boue chaude ?   Rendez-vous au **283**

Poursuivre votre chemin
vers le nord ?   Rendez-vous au **303**

200

Vous prenez dans votre sac à dos la petite clé d'argent et vous l'introduisez dans la serrure. Elle s'y adapte parfaitement et vous la faites tourner. La serrure cliquette et la porte de pierre s'ouvre aussitôt. Un escalier, en pierre également, s'enfonce dans des profondeurs obscures, et il vous est impossible de distinguer quoi que ce soit au bas des marches. Si vous souhaitez descendre cet escalier, rendez-vous au **351**. Si vous préférez quitter l'endroit, et retourner sur le chemin pour aller vers le nord, rendez-vous au **112**.

201

Si vous ne l'avez déjà fait, vous pouvez essayer d'ouvrir le coffre de bois en vous rendant au **389**. Sinon, vous pouvez quitter cette anfractuosité pour continuer à monter les marches. Rendez-vous alors au **88**.

202

La Femme Féline porte deux boucles d'oreille en or. Elles valent chacune 5 Pièces d'Or et vous les rangez dans votre sac à dos. Puis vous vous remettez en route le long du chemin sinueux. Rendez-vous au **355**.

203

Lorsque vous lui parlez, le Gobelin lève les yeux et sourit, puis il commence à se métamorphoser devant vous. Sa taille augmente et il prend une teinte verte ; une longue queue épineuse lui pousse dans le dos, ses bras s'épaississent et des griffes pointues apparaissent au bout de ses doigts. Son visage se déforme et prend une apparence reptilienne, avec des yeux rouges et une large bouche plantée de dizaines de dents tranchantes comme des rasoirs. Ce n'est pas un Gobelin que vous avez devant vous, mais un CHANGEUR DE FORME et il vous faut le combattre.

CHANGEUR
DE FORME   HABILETÉ : 10   ENDURANCE : 10

Si vous êtes vainqueur, rendez-vous au **373**.

204

Le chemin mène à travers champs jusqu'à un pont de pierre qui enjambe une rivière d'eau limpide. Au-delà du pont, vous apercevez les maisonnettes et les huttes de bois d'un village. Une pancarte indique « Pont-de-Pierre » et, lorsque vous franchissez le pont, vous voyez deux nains aux longues barbes blanches qui se tiennent debout près d'une maisonnette, le regard fixé sur vous. Avez-vous en votre possession la tête de marteau et le manche, tous deux gravés de la lettre G ? Si oui, rendez-vous au **400**. Si vous ne possédez qu'un seul, ou aucun de ces objets, rendez-vous au **381**.

205

Chacun des Pygmées a une petite bourse de cuir attachée à son cou, et vous trouvez dans chacune d'elles 3 Pièces d'Or. Vous les rangez dans votre sac à dos et vous retournez sur le chemin pour continuer votre voyage en direction du nord. Rendez-vous au **92**.

206

Soudain, vous entendez des appels au secours qui viennent de votre gauche, à l'écart du chemin. Si vous souhaitez venir en aide à la personne qui appelle ainsi, rendez-vous au **253**. Si vous préférez rester indifférent à ces cris et poursuivre votre chemin vers le nord, rendez-vous au **187**.

207

Vous enjambez le corps de l'Homme-Singe et vous entrez dans sa cabane. Le sol est jonché d'os et de fruits pourris. Le lit de la créature est fait de mousses et de feuilles, et il semble grouiller d'insectes. Vous êtes parcouru d'un frisson de dégoût et vous retournez sur la plate-forme. Vous remarquez alors, autour du poignet de l'Homme-Singe, un bracelet de cuivre. Si vous voulez le passer à votre propre poignet, rendez-

213

Le chemin serpente parmi les arbres et les buissons, puis aboutit à une autre bifurcation. Le sentier orienté au sud ramène vers la vallée, et vous décidez donc de poursuivre vers le nord en vous rendant au **306**.

214

Vous fouillez dans votre sac à dos et vous débouchez la petite bouteille contenant la Potion de Guérison. La douleur dans votre jambe est atroce, mais elle disparaît dès que la Potion commence à faire son effet. Bientôt, votre jambe est complètement guérie et vous pouvez vous relever. Vos yeux se sont habitués à l'obscurité et vous vous apercevez que le tunnel fait tout juste un mètre de hauteur : vous allez donc devoir l'explorer à quatre pattes. Rendez-vous au **69**.

215

Vous trouvez à l'intérieur du tonneau un lourd bouclier de fer. Si vous souhaitez l'emporter avec vous, rendez-vous au **248**. Si vous préférez ne pas y toucher, rendez-vous au **201**.

216

Le chemin mène le long d'une corniche, au flanc de la colline, et aboutit à une nouvelle bifurcation. Le sentier orienté au sud ramène vers la rivière, et vous décidez donc de poursuivre en direction du nord. Rendez-vous au **278**.

217

ous contournez l'imposant cadavre du Ver

vous au **302**. Si vous préférez redescendre le long de la liane pour retourner sur le chemin, et repartir vers le nord, rendez-vous au **109**.

208

Vous arrivez bientôt à un croisement. Le chemin orienté au sud retourne vers la forêt, et vous décidez de ne pas le prendre. Vous pouvez donc continuer vers l'ouest (rendez-vous au **99**), ou vous diriger au nord (rendez-vous au **291**).

209

Lorsque vous entrez dans la cabane, l'homme sourit. Il semble heureux de vous voir et s'adresse à vous d'une voix grave. « Bienvenu, étranger, vous dit-il. Je m'appelle Quin et je gagne ma vie en me servant de mes bras. Seriez-vous homme à miser quelque argent sur une partie de bras de fer ? » Si vous acceptez cette proposition, rendez-vous au **28**. Si vous préférez décliner son offre, vous refuserez poliment, puis vous retournerez à la bifurcation en vous rendant au **349**.

210

Les deux hommes poussent des jurons et se mettent à trépigner de colère pour vous avoir manqué. Une dispute éclate alors entre eux, et ils commencent à se pousser l'un l'autre. Ils semblent vous avoir complètement oublié ; si vous souhaitez attaquer ces HOMMES DES BOIS, rendez-vous au **43**. Si vous préférez passer devant eux et poursuivre votre chemin pendant qu'ils se disputent, rendez-vous au **188**.

211

Vous prenez dans votre sac à dos la petite bouteille de Potion Antipoison et vous en avalez le contenu. Votre estomac cesse alors de vous faire mal et vous vous détendez. Il ne vous semble pas très utile de rester plus longtemps en ces lieux et vous vous dirigez vers les marches, dans la paroi opposée. Rendez-vous au **293**.

212

Dans l'anfractuosité, vous tombez nez à nez avec quatre autres humanoïdes, mais ceux-ci portent des tuniques de cuir et sont armés de longues lances. Ils s'avancent pour vous attaquer et vous allez devoir combattre ces GUERRIERS CLONES. Ils vous affronteront un par un :

	HABILETÉ	ENDURANCE
Premier GUERRIER CLONE	5	5
Deuxième GUERRIER CLONE	6	4
Troisième GUERRIER CLONE	5	6
Quatrième GUERRIER CLONE	6	5

Si vous êtes vainqueur, rendez-vous au **321**. Vous avez la possibilité de prendre la *Fuite* en quittant l'anfractuosité à toutes jambes et en montant les marches quatre à quatre. Rendez-vous dans ce cas au **107**.

212 *Vous tombez nez à nez avec humanoïdes qui portent des tuni cuir, et sont armés de longues*

pour aller explorer sa tanière. Vous y trouvez plusieurs squelettes qui appartenaient sans doute à de malheureux aventuriers ; et à côté de l'un d'eux vous apercevez un sac à dos en cuir. A l'intérieur sont rangées 4 Pièces d'Or et une petite bouteille contenant un liquide incolore. Si vous souhaitez boire ce liquide, rendez-vous au **262**. Si vous préférez quitter cette caverne obscure et retourner sur le chemin en n'emportant que les Pièces d'Or avec vous, rendez-vous au **337**.

218

Vous poussez un juron en vous demandant qui a bien pu installer ce piège diabolique. Dix minutes plus tard, vous entendez des bruits de pas. La panique vous gagne et vous vous balancez frénétiquement d'un côté et d'autre pour essayer de libérer votre pied du nœud coulant. Un petit garçon apparaît alors : il est vêtu d'une chemise et d'un short, tous deux en cuir vert, et mâchonne ce qui semble être un os de poulet. Il se place juste au-dessous de vous, lève les yeux, puis avec un sourire, vous lance : « Hé, hé, quelqu'un s'est fait prendre au piège de l'Ogre ! ». Vous lui demandez très poliment de vous passer votre épée. « Il t'en coûtera 5 Pièces d'Or, répond-il aussitôt. Ou peut-être as-tu quelque objet magique à me donner ? » ajoute-t-il, en ouvrant grand les yeux.

Vous n'êtes pas en position de discuter et vous allez devoir donner au garçon l'or qu'il demande ou l'un de vos objets magiques (si vous en avez). Mettez à jour votre *Feuille d'Aventure* en y rayant ce dont vous vous séparez. Le petit garçon dès lors vous passe votre épée, puis s'enfuit à toutes jambes le long du chemin. Quant à vous, vous tranchez la corde qui vous retient prisonnier et vous tombez lourdement sur le sol. Vous vous relevez ensuite et vous époussetez vos vêtements. Pour continuer vers le nord, rendez-vous au **274**.

219

Vous remarquez que la fléchette plantée dans le poitrail de l'ours est en argent. Elle vaut 5 Pièces d'Or et vous pouvez la ranger dans votre sac à dos si vous le désirez. Cette trouvaille vous fait gagner 1 point de CHANCE. Vous retournez à présent sur le chemin et vous partez vers le nord (rendez-vous au **300**).

220

En marchant le long de l'étroit sentier, vous remarquez sur la gauche un grand et vieil arbre : il y a dans son tronc un gros trou situé à une hauteur un peu supérieure à votre taille. Si vous souhaitez passer votre main dans le trou pour voir ce qu'il contient, rendez-vous au **275**. Si vous préférez poursuivre votre chemin en direction du nord, rendez-vous au **115**.

221

Le fond de la vallée est tout plat et couvert d'une herbe grasse et verte. Bientôt, vous arrivez à une nouvelle bifurcation. Vous pouvez continuer vers l'ouest (rendez-vous au **378**), ou repartir vers le nord (rendez-vous au **199**).

222

Il n'y a pas moyen d'échapper au nuage de gaz empoisonné qui vous enveloppe. Vous avez l'impression que vos poumons vont éclater et vous êtes forcé de respirer. Lancez alors un dé pour savoir de combien de points vous allez devoir réduire votre total d'ENDURANCE. Si vous êtes toujours vivant, le nuage s'éloigne enfin, et vous pouvez à nouveau respirer librement. Vous ne voyez cependant aucun avantage à rester plus longtemps en ces lieux et vous vous dirigez vers les marches, dans la paroi du fond (rendez-vous au **293**).

223

Le bijou attaché à votre cou se met à luire. Arragon n'est peut-être pas après tout celui qu'il prétend, et vous tirez votre épée pour le défier. L'expression de son visage change alors du tout au tout, passant de la confiance à la crainte. Il s'excuse aussitôt d'avoir été si agressif envers vous et tente de se justifier en vous expliquant que la région est infestée de brigands et d'assassins, dont il essaye de se protéger en se faisant passer pour un puissant sorcier. Il vous demande de lui pardonner et vous propose de vous donner 5 Pièces d'Or à condition que vous le laissiez en paix et que vous ne révéliez à personne la supercherie. Vous acceptez son offre et vous quittez sa maison. Puis vous revenez à la bifurcation et vous repartez en direction du nord. Rendez-vous au **150**.

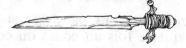

224

L'un des Faucons de la Mort porte à la patte une bague d'argent sur laquelle sont gravés ces mots : « La Mort t'attend. » Vous décidez de laisser là cette bague et vous vous hâtez de repartir vers l'ouest (rendez-vous au **332**).

225

Vous lancez un juron et vous vous hissez hors de l'eau en vous glissant dans l'entrée du tunnel. Vous remarquez alors avec étonnement qu'il est éclairé à intervalles réguliers et sur toute sa longueur par des torches allumées. Si vous souhaitez avancer à quatre pattes dans ce tunnel, rendez-vous au **135**. Si vous préférez remonter l'échelle et retourner sur le chemin, rendez-vous au **362**.

226

Vous entendez, venant de votre droite, des voix qui se disputent dans une langue étrange. Les personnages qui parlent ainsi sont cachés par les arbres et si vous souhaitez quitter le chemin pour aller voir de quoi il retourne, rendez-vous au **29**. Si vous préférez en revanche ne pas vous occuper de ces voix et poursuivre votre chemin en direction du nord, rendez-vous au **254**.

227

La créature qui s'apprête à vous attaquer avec ses griffes est une GOULE.

GOULE   HABILETÉ : 9   ENDURANCE : 7

Elle parviendra à vous paralyser si elle vous blesse par quatre fois au cours du combat. Si vous terrassez la Goule, rendez-vous au **312**. Si elle vous paralyse, rendez-vous au **2**.

228

C'est une fosse circulaire dont les parois sont lisses. Votre chute vous a causé un choc ; vous vous sentez faible mais vous parvenez, malgré tout, à prendre dans votre sac à dos les bottes de cuir marron que vous chaussez. Elles vous semblent très légères et vous bondissez hors du trou sans difficulté. Vous époussetez alors vos vêtements, et vous repartez en direction du nord, vers le fond de la vallée. Rendez-vous au **255**.

229

Lorsque vous touchez la boîte de bois, le couvercle s'ouvre à la volée sans que vous ayez eu besoin de le soulever. Une minuscule créature à la peau verte surgit alors de la boîte. Elle a une grosse tête avec un long nez et des oreilles pointues et ses vêtements sont taillés dans de la toile à sac. Vous êtes pris par surprise : le GREMLIN essaye de vous frapper avec son poignard. *Tentez votre Chance*. Si vous êtes Chanceux, vous parvenez à éviter la lame pointée sur vous et vous vous rendez au **165**. Si vous êtes Malchanceux, la lame s'enfonce dans votre cuisse (rendez-vous au **45**).

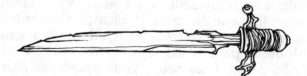

230

Vous jetez prudemment un coup d'œil à l'intérieur de la caverne et vous apercevez l'énorme silhouette d'un OGRE qui s'avance à pas lents vers une cage d'osier, un bol d'eau à la main. Il est vêtu de peaux de bêtes, et une massue en pierre est passée dans sa ceinture. A l'intérieur de la cage, une petite créature sautille en tous sens. Qu'allez-vous faire ?

Ramasser une pierre et la
jeter à la tête de l'Ogre ?   Rendez-vous au **137**
Faire irruption dans la
caverne et attaquer cet
Ogre avec votre épée ?   Rendez-vous au **290**
Quitter la caverne, et
poursuivre votre route ?   Rendez-vous au **358**

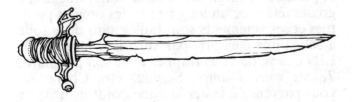

231

Le sentier suit de nombreux méandres, puis il oblique brusquement vers l'ouest. Vous continuez dans cette direction et, bientôt, vous entendez des cris provenant des feuillages qui vous entourent puis vous percevez des battements d'ailes ; levant les yeux, vous apercevez alors trois gros oiseaux qui fondent sur vous. Leur

230 *Vous apercevez l'énorme silhouette d'un Ogre qui s'avance à pas lents vers une cage d'osier, un bol d'eau à la main.*

bec et leurs serres semblent tranchants comme des rasoirs, et vous n'avez qu'une seconde à peine pour tirer votre épée et vous défendre contre les FAUCONS DE LA MORT.

	HABILETÉ	ENDURANCE
Premier FAUCON DE LA MORT	4	4
Deuxième FAUCON DE LA MORT	4	3
Troisième FAUCON DE LA MORT	5	4

Affrontez-les un par un, et si vous êtes vainqueur, rendez-vous au **224**. Vous pouvez aussi prendre la *Fuite* en courant vers l'ouest, le long du chemin. Rendez-vous au **332**.

232

Vous vous penchez sur le corps sans vie du Gobelin fou, et vous examinez le bâton accroché à son cou. Il est taillé dans un morceau d'ébène et muni d'un pas de vis à l'une de ses extrémités. A l'autre bout est gravée la lettre G et vous éprouvez un sentiment d'excitation en devinant que vous avez trouvé là ce qui doit être le manche du marteau de guerre des Nains. Vous rangez votre trouvaille dans votre sac à dos et vous gagnez 1 point de CHANCE. Si vous souhaitez à présent fouiller la caverne, rendez-vous au **263**. Si vous préférez repartir vers le nord, rendez-vous au **358**.

233

A droite du chemin, vous apercevez un puits avec une margelle de pierre et un seau accroché à une manivelle. Si vous voulez aller voir ce puits d'un peu plus près, rendez-vous au **17**. Si vous préférez poursuivre votre route vers l'ouest, rendez-vous au **238**.

234

Vous êtes de retour à la bifurcation et vous prenez la direction de l'ouest sans vous occuper du sentier qui mène vers le sud. Rendez-vous au **382**.

235

Vous plongez aussitôt la main dans votre sac à dos, et vous en retirez la bouteille contenant la Potion que vous avalez. Vous ressentez alors une impression de calme et de paix en dépit du chaos qui règne autour de vous. Soudain, la cabane se démantèle complètement et s'écroule dans un grand fracas. Vous estimez qu'il est temps de quitter les lieux, et vous vous hâtez de rejoindre le chemin pour repartir vers le nord. Vous gagnez 1 point de CHANCE au passage et vous vous rendez au **149**.

236

Le chemin mène à l'entrée d'une maisonnette aux murs de pierre et au toit de chaume. Une plaque fixée au-dessus de la porte indique : « Arragon, Archi-Mage ». Si vous souhaitez entrer dans cette maisonnette, rendez-vous au **170**. Si vous préférez retourner à la bifurcation et repartir vers le nord, rendez-vous au **150**.

Vous atterrissez pesamment sur le sol et vous entendez un sinistre craquement, tandis qu'une douleur fulgurante vous paralyse la jambe : vous vous êtes cassé le tibia et vous perdez 2 points de CHANCE. Avez-vous une Potion de Guérison ? Si oui, rendez-vous au **214**. Sinon, rendez-vous au **304**.

En cheminant au fond de la vallée en direction de l'ouest, vous arrivez à une bifurcation ; un sentier orienté au sud ramène vers les collines, et vous décidez donc de poursuivre vers l'ouest en vous rendant au **221**.

Le chemin continue de s'enfoncer dans l'épaisse végétation, et vous éprouvez un certain sentiment de claustrophobie en vous sentant ainsi enfermé sous le feuillage des arbres qui forme une voûte au-dessus de vous. Un peu plus loin, le sentier oblique brusquement vers la gauche, à l'endroit où se dresse un arbre portant des fruits étranges. Si vous souhaitez vous arrêter pour goûter à ces fruits, rendez-vous au **37**. Si vous préférez continuer vers le nord sans faire de halte, rendez-vous au **226**.

Vous forcez doucement le couvercle de la boîte, mais aussitôt, un gaz jaune s'en échappe et se répand autour de votre tête. Si vous avez des Filtres à Nez, rendez-vous au **338**. Sinon, rendez-vous au **169**.

241

Vous vous frayez un chemin parmi les arbres, en direction de l'endroit d'où provient le grognement, et vous vous retrouvez soudain face à face avec un énorme OURS brun. Une fléchette est plantée dans son poitrail et il semble fou de douleur et de rage.

Vous tirez alors votre épée et vous vous préparez à combattre.

OURS   HABILETÉ : 7   ENDURANCE : 8

Si vous êtes vainqueur, rendez-vous au **219**.

242

Vous fouillez une armoire et vous y trouvez, dissimulé parmi des draps et des couvertures, un lingot d'or. Il vaut 28 Pièces d'Or ; mais il est très lourd, et si vous voulez le prendre avec vous, il faudra lui faire de la place en abandonnant l'un des objets contenus dans votre sac à dos. Il n'y a pas d'autre issue que le tunnel pour sortir de la caverne et vous revenez donc à la bifurcation, toujours à quatre pattes. Rendez-vous au **121**.

243

Vous lui répondez que vous êtes désolé, mais que vous n'avez pas vu sa cloche de cuivre. Le malheureux moine fronce les sourcils et vous demande si vous voulez bien lui donner une Pièce d'Or pour servir une juste cause. Si vous acceptez, rendez-vous au **166**. Si vous refusez de lui donner la pièce, rendez-vous au **33**.

244

La fièvre finit par disparaître, et vous vous rendormez avec soulagement. Au matin, vous ramassez vos affaires et vous repartez en direction du nord, le long du chemin qui mène vers les collines. Rendez-vous au **198**.

245

Parvenu au fond de la vallée, vous vous apercevez que le chemin se divise en trois voies :

Pour continuer vers le nord	Rendez-vous au **163**
Pour aller à l'ouest	Rendez-vous au **233**
Pour aller vers l'est	Rendez-vous au **393**

246

La FEMME BANDIT prend les objets que vous lui donnez et recule d'un pas pour vous laisser passer. Vous repartez vers le nord et vous remarquez bientôt que le feuillage des arbres s'éclaircit des deux côtés du chemin. Enfin, le sentier débouche sur un champ cultivé : vous êtes sorti de la Forêt des Ténèbres ! Rendez-vous au **204**.

247

Le répugnant Ptérodactyle gît en un petit tas à l'endroit où il s'est écrasé au sol, après avoir reçu le coup d'épée fatal. En vous en approchant, vous remarquez, tracée dans l'herbe au bord du chemin, une flèche jaune qui indique la direction de l'ouest. Si vous souhaitez suivre cette flèche, rendez-vous au **3**. Si vous préférez suivre le chemin en direction du nord, rendez-vous au **144**.

248

Vous êtes à présent en possession d'un bouclier d'empereur qui fut forgé il y a bien longtemps par un maître armurier. Vous gagnez 1 point de CHANCE, et le bouclier vous permettra de mieux vous défendre lors de vos futurs combats. Si une créature vous blesse, en effet, vous lancerez un dé et lorsque vous obtiendrez un 4, un 5 ou un 6, vous ne perdrez qu'un seul point d'ENDU-RANCE au lieu des 2 habituels. Si vous ne l'avez déjà fait, vous pouvez maintenant essayer d'ou-vrir le coffre de bois (en vous rendant au **389**), ou quitter l'anfractuosité et monter plus haut (rendez-vous alors au **88**).

249

Vous jetez à nouveau un coup d'œil dans l'étrange caverne, et vous voyez les petits huma-noïdes poursuivre leur besogne parmi leurs cul-tures de champignons. Vous hochez la tête d'un air incrédule et vous montez les dernières marches qui vous mènent à l'ouverture prati-quée au sommet de la caverne. Rendez-vous au **164**.

250

Le vase tombe par terre mais ne se brise pas, bien que des fêlures apparaissent à sa surface. Vous sentez alors une vibration tout autour de vous et vous remarquez que des lézardes se des-sinent un peu partout dans la véranda et sur les murs de la cabane. La vibration s'intensifie, votre corps se met à trembler et vous avez l'impression que votre tête est sur le point d'exploser. Vous perdez 2 points d'ENDURANCE et, si vous êtes toujours en vie, rendez-vous au **82**.

251

Lorsque vous tirez votre épée, le Centaure saisit son arc et avant que vous ayez pu l'atteindre, il vous décoche une flèche. Lancez deux dés. Si le chiffre obtenu est égal ou inférieur à votre total d'HABILETÉ, vous parvenez à éviter la flèche. Rendez-vous alors au **63**. Si ce chiffre est supérieur à ce même total, vous êtes trop lent pour esquiver le projectile qui vient se planter dans votre épaule. Vous perdez 4 points d'ENDURANCE et, si vous êtes toujours vivant, vous arrachez la flèche de votre chair, ce qui ne va pas sans douleur. Rendez-vous ensuite au **260**.

252

Vous arrivez à un croisement à quatre voies. Le chemin orienté au sud ramène vers la forêt et vous ne le prenez donc pas. Si vous désirez aller au nord, rendez-vous au **309**. Si vous préférez poursuivre en direction de l'est, rendez-vous au **72**.

253

Vous vous dirigez vers l'endroit d'où proviennent les cris, en marchant difficilement parmi les racines noueuses des arbres, et vous apercevez bientôt un homme vêtu d'une djellaba de couleur foncée, le pied emprisonné dans un piège à loup tout rouillé. L'homme a le visage

253 *Un homme, vêtu d'une djellaba de couleur foncée, a le pied emprisonné dans un piège à loup tout rouillé.*

masqué par un pan de son vêtement, et l'on ne peut voir que ses yeux sombres. Si vous souhaitez aider cet homme en le libérant du piège, rendez-vous au **344**. Si vous préférez le laisser là sans lui porter secours, retournez sur le chemin, et repartez vers le nord. Rendez-vous au **187**.

254

Un peu plus loin sur l'étroit sentier, vous entendez en provenance des arbres, sur votre gauche, un grognement sourd. Si vous voulez voir quelle créature grogne ainsi, rendez-vous au **241**. Si vous préférez passer votre chemin et poursuivre vers le nord, rendez-vous au **300**.

255

En poursuivant votre descente, vous apercevez bientôt la poignée d'une épée qui dépasse d'un gros rocher situé au bord du chemin. Si vous voulez essayer d'arracher l'épée plantée dans le roc, rendez-vous au **182**. Si vous préférez continuer vers le fond de la vallée, rendez-vous au **334**.

256

Vous descendez le long du puits sans vous apercevoir qu'un barreau manque à l'échelle. Votre pied glisse, et vous perdez alors l'équilibre. *Tentez votre Chance*. Si vous êtes Chanceux, vous parvenez à vous retenir de tomber en vous agrippant aux barreaux de l'échelle ; rendez-vous alors au **122**. Si vous êtes Malchanceux, vous tombez dans l'eau au fond du puits, et vous vous rendez au **295**.

257

Vous trouvez à l'intérieur du sac à dos du pain fabriqué par des elfes qui vous donnera 4 points d'ENDURANCE si vous le mangez. Vous gagnez également un point de CHANCE, et vous vous rendez au **31**.

258

Vous fouillez dans votre sac à dos, et vous en retirez la petite flûte de cuivre. Vous avez l'étrange impression qu'il vous faut en jouer maintenant, devant cette Vouivre enragée ; et lorsque vous soufflez dans l'instrument, il en sort une musique douce et paisible qui provoque un changement d'expression sur le visage de la créature. Son regard se brouille en effet, sa gueule se referme et ses paupières tombent. Vous êtes en train de jouer d'une Flûte à Endormir les Dragons, et la Vouivre est incapable de résister à ces sons apaisants. Le monstre alors se laisse lentement tomber sur le sol et sombre bientôt dans un profond sommeil. Rendez-vous au **305**.

259

Vous éprouvez dans tout votre corps une sensation de brûlure, et vous vous sentez peu à peu gagné par une fièvre enragée. Il se pourrait bien que vous soyez vous-même en train de vous changer en Loup-Garou ! Vous perdez 3 points d'ENDURANCE et vous devez *Tenter votre Chance*, si toutefois vous êtes toujours vivant. Si le chiffre obtenu aux dés est égal ou inférieur à votre total de CHANCE, la fièvre tombe, et vous vous rendez au **244**. Si, en revanche, ce chiffre est supérieur à ce même total, la fièvre continue, et vous voyez avec horreur des poils noirs et épais apparaître sur le dos de vos mains. Le choc que vous en ressentez vous fait perdre 2 autres points d'ENDURANCE, et si vous êtes toujours vivant, vous vous rendez au **19.**

260

Voyant que sa flèche ne vous a pas tué, le Centaure se dresse sur ses pattes de derrière et fonce sur vous au grand galop. Vous faites un bond en arrière pour éviter d'être renversé, et la créature passe devant vous dans un nuage de poussière avant de s'arrêter dix mètres plus loin sur le chemin d'où vous êtes venu. Ce n'est peut-être pas une si bonne idée de vouloir combattre le Centaure et vous remettez votre épée au fourreau en décidant de traverser la rivière à pied. Rendez-vous au **178.**

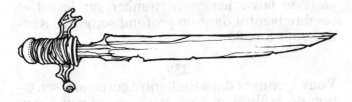

261

Vous suivez le vieil homme vêtu d'une longue robe en haillons. Il souffle et halète en montant l'escalier en colimaçon qui mène à une grande pièce, au sommet de la tour. Des étagères, des armoires et des vitrines s'alignent le long des murs, toutes remplies de flacons, de bocaux, d'armes, de cuirasses et de toutes sortes d'objets à l'aspect étrange. Yaztromo traverse ce bric-à-brac en traînant les pieds et se laisse tomber sur une veille chaise en bois de chêne. Il glisse alors la main dans une poche, sur sa poitrine, et en sort une petite paire de lunettes cerclées d'or qu'il pose sur son nez. Puis il prend une ardoise et un morceau de craie sur une table et se met à écrire fébrilement. Il vous tend ensuite l'ardoise que vous lisez attentivement.

ARTICLES DISPONIBLES	PRIX
Potion de Guérison	3 Pièces d'Or
Potion de Contrôle des Plantes	2 Pièces d'Or
Potion de Tranquillité	3 Pièces d'Or
Potion de Contrôle des Insectes	2 Pièces d'Or
Potion Antipoison	2 Pièces d'Or
Eau Bénite	3 Pièces d'Or
Anneau de Lumière	3 Pièces d'Or
Bottes à Bondir	2 Pièces d'Or
Corde Magique	3 Pièces d'Or
Filet de Capture	3 Pièces d'Or
Brassard de Force	3 Pièces d'Or
Gant d'Adresse au Lancer	2 Pièces d'Or
Perche à Sonder	2 Pièces d'Or
Gousses d'Ail	2 Pièces d'Or
Bandeau de Concentration	3 Pièces d'Or
Capsules de Feu	3 Pièces d'Or
Filtres à Nez	3 Pièces d'Or

Le Mage vous précise que le mode d'emploi de chaque article est clairement expliqué sur une étiquette qui lui est attachée ; on peut également y lire des suggestions concernant les circonstan-

149

ces dans lesquelles il est conseillé d'en faire usage. Yaztromo pousse un soupir et vous signale que, malheureusement, chacun de ces objets magiques ne peut être utilisé qu'une seule fois ; il ajoute cependant qu'à ce prix là, vous ne trouverez rien de meilleur sur le marché.

Si vous décidez d'acheter l'un quelconque (ou plusieurs) de ces objets, vous devrez en payer le prix : vous déduirez donc de votre capital autant de Pièces d'Or qu'il vous en aura coûté, et vous inscrirez chacune de vos acquisitions sur votre *Feuille d'Aventure* sous la rubrique appropriée. Yaztromo vous demande alors pourquoi vous voulez lui acheter ces objets, et vous lui racontez votre histoire en lui expliquant que vous avez pris la décision de poursuivre la mission de l'infortuné Gromollet. « Ah oui, en effet, répond Yaztromo d'une voix douce. J'ai entendu dire que les bons nains de Pont-de-Pierre avaient perdu leur légendaire marteau de guerre. Et sans lui, leur roi ne peut lever le peuple pour défendre le village menacé par les Trolls des Collines. Selon la rumeur, le roi d'un autre village de nains, agissant par jalousie, a envoyé un aigle à Pont-de-Pierre pour y voler le marteau, et le rapace a réussi son coup. Mais en revenant vers la Forêt des Ténèbres, il a été attaqué en plein vol par des Faucons de la Mort et le marteau est tombé dans les bois où l'on a perdu sa trace. D'après ce que l'on sait, deux Gobelins l'ont trouvé et n'ont pas réussi à se mettre d'accord pour savoir qui allait le garder. Ils se sont battus pendant des heures à ce sujet ; mais comme aucun des deux ne parvenait à vaincre l'autre, ils ont fini par abandonner. C'est alors qu'ils ont découvert qu'on pouvait dévisser la tête du marteau de son manche, et la dispute a été aussitôt réglée : l'un des Gobelins a gardé la tête du marteau, et l'autre, le manche. Puis ils sont repartis chacun de son côté, tout heureux d'emporter leur trésor. Qui sait s'ils ont conservé leur trouvaille ? Nul ne peut l'affirmer, et j'ai bien peur que vos recherches en soient rendues plus difficiles encore. Tout ce que je peux vous dire c'est que la tête est en bronze et le manche en ébène poli. Sachez aussi que la lettre G est gravée à la fois sur la tête et sur le manche. Mais, croyez-moi, votre tâche n'est guère aisée. Enfin, bonne chance, malgré tout... »

Vous remerciez Yaztromo et vous quittez la pièce en redescendant l'escalier en colimaçon. Rendez-vous au **177**.

262

Vous jetez un coup d'œil à la bouteille que vous tenez à la main, et vous en avalez d'un trait le contenu. Vous attendez quelques secondes qu'une réaction se produise, mais rien ne se passe. Cependant, lorsque vous vous baissez pour ramasser votre épée que vous aviez posée par terre pendant que vous examiniez le sac, vous sentez soudain une nouvelle énergie vous parcourir le corps. Le liquide que vous venez de boire est une Potion d'Adresse au Combat qui vous permettra d'ajouter un point à votre Force d'Attaque lorsque vous devrez à nouveau affronter une créature. Mais attention ! les effets de la Potion ne dureront que pendant vos deux prochains combats. Vous prenez ensuite l'or, et vous quittez la caverne pour rejoindre le chemin et poursuivre votre voyage en direction du nord. Rendez-vous au **337**.

263

Il n'y a pas grand-chose d'intéressant dans la caverne. Vous ne voyez tout d'abord qu'une paillasse, des pots en pierre, une table et une chaise ; mais bientôt, sur une étagère au-dessus du lit, vous remarquez une petite boîte d'argent qui attire votre regard. Si vous souhaitez ouvrir cette boîte, rendez-vous au **126**. Si vous préférez quitter la caverne et repartir vers le nord sans emporter la boîte d'argent, rendez-vous au **358**.

Le petit humanoïde est un Clone, et il n'a aucune volonté propre. Votre épée lui tranche la tête et il s'écroule sur le sol. Quant à ses compagnons, ils ne vous prêtent pas la moindre attention et vous vous demandez qui contrôle ces petits êtres. Puis, soudain, vous observez que l'humanoïde décapité est en train de se dissoudre dans une flaque de liquide violet ; au même endroit, un champignon surgit alors du sol et, tandis qu'il grandit, le liquide violet s'infiltre dans la terre et disparaît. Ce nouveau champignon a un chapeau également violet qui se tourne vers vous et vous fait face. Vous avez le choix entre :

Rester là à observer le champignon au chapeau violet	Rendez-vous au **367**
Vous approcher du champignon au chapeau vert	Rendez-vous au **189**
Vous approchez du champignon au chapeau rouge	Rendez-vous au **282**

265

Le piétinement et les craquements s'intensifient, et vous voyez soudain apparaître devant vous une énorme jambe. En levant les yeux, vous constatez alors que cette jambe appartient à un homme dont la taille doit être d'environ cinq mètres. Il porte des vêtements de toile marron et des bottes en fourrure. L'homme semble très

pressé et piétine les sous-bois comme s'ils n'existaient pas. C'est un GEANT DES FORETS. En
vous voyant, ses yeux s'ouvrent tout grand et il
brandit son immense massue. Il vous faut le
combattre.

GÉANT DES
FORÊTS   HABILETÉ : 9   ENDURANCE : 9

Si vous êtes vainqueur, rendez-vous au **356.**

266

Quin déclare qu'il va miser un peu de Poudre de
Lévitation contre un objet, ou 10 Pièces d'Or.
Vous vous asseyez face à lui, puis vous posez
votre coude sur la table, et vous saisissez sa
main. Sa poigne vous serre comme un étau et ses
yeux sombres en amande expriment sa
confiance en lui-même. Il gonfle alors son biceps
et donne le signal du départ. Lancez deux dés.
Si le chiffre obtenu est égal ou inférieur à votre
total d'HABILETÉ, vous parvenez, au prix d'un
grand effort, à repousser légèrement son bras.
Mais sa force est grande et il n'abandonnera pas
si facilement. Aussi allez-vous devoir jeter les
dés encore deux fois et obtenir à chaque lancer
un chiffre égal ou inférieur à votre total d'HABI-
LETÉ. Si vous y parvenez, vous le ferez céder en
repoussant son bras tout contre la table. Dans
ce cas, vous vous rendrez au **354.** Mais si, au
cours des trois lancers de dés, vous obtenez un
chiffre supérieur à votre total d'HABILETÉ, c'est
vous qui céderez, et votre bras, incapable de
résister à la force de Quin, viendra toucher le
panneau de la table. Vous vous rendrez alors au
129.

265 *L'homme semble très pressé, et piétine les sous-bois comme s'ils n'existaient pas.*

267

Le chemin mène à l'entrée d'une vaste caverne et ne semble pas aller plus loin vers l'est. Si vous souhaitez entrer dans la caverne, rendez-vous au **196**. Si vous préférez retourner à la bifurcation et prendre la direction du nord, rendez-vous au **25**.

268

Vous vous hâtez de fouiller dans votre sac à dos pour en retirer les gousses d'ail. Les Chauves-Souris Vampires sont alors presque sur vous, mais, à la dernière seconde, elles se détournent en poussant de petits cris perçants. Elles volent au-dessus de votre tête, avides de boire votre sang, mais l'ail les tient à distance. Et finalement, elles prennent la fuite en quête d'une autre proie. Vous posez les gousses d'ail à côté de vous et vous vous rendormez. Au matin, vous ramassez vos affaires et vous vous remettez en route en direction du nord. Rendez-vous au **119**.

269

Vous criez quelque chose à deux humanoïdes qui sont en train de prendre soin d'un carré de champignons à chapeaux verts, mais ils vous ignorent et poursuivent leur besogne. Vous saisissez alors le chapeau de l'un des champignons et vous en arrachez un morceau que vous commencez à manger. Le goût en est agréable et vous sentez votre corps s'animer d'un regain de force. Vous gagnez 4 points d'ENDURANCE et, comme vous n'estimez pas utile de rester plus longtemps en cet endroit, vous vous dirigez vers les marches, dans la paroi du fond. Rendez-vous au **293**.

270

Le tunnel aboutit à l'entrée d'une caverne. Vous y pénétrez et vous constatez alors qu'elle n'est pas plus haute que le tunnel lui-même : il vous est donc toujours impossible de vous tenir debout. Il y a quelques meubles dans la caverne, ce qui est la preuve qu'une créature douée d'intelligence y habite. Tout au fond, vous apercevez une grande boîte en bois d'environ un mètre de long. Si vous souhaitez soulever le couvercle de la boîte, rendez-vous au **229**. Si vous préférez faire demi-tour et retourner à la bifurcation, dans le tunnel, rendez-vous au **121**.

271

Vous vous approchez du Gnome, le bras tendu, pour lui serrer la main. Il accepte cette marque d'amitié avec toutefois une expression dubitative sur le visage. Vous lui parlez alors de votre quête en lui racontant comment vous avez fait la rencontre de Gromollet, et pourquoi vous avez décidé de venir en aide aux Nains de Pont-de-Pierre. Vous lui demandez s'il peut vous donner des renseignements utiles à votre mission, et il vous répond que les Nains ne l'intéressent guère, mais qu'il est prêt malgré tout à vous dire quelque chose si vous lui donnez en échange 5 Pièces d'Or, ou l'un des objets rangés dans votre sac à dos. Si vous souhaitez payer à ce Gnome cupide le prix qu'il demande pour ses informations, rendez-vous au **297**. Si vous n'en avez pas les moyens, ou si vous ne voulez pas lui donner quoi que ce soit, dites-lui ce que vous pensez de ses façons et repartez vers l'ouest, le long du chemin. Rendez-vous alors au **67**.

272
Il se passera longtemps avant que vous rendiez à nouveau service à quelqu'un ! Vous retournez sur le chemin et vous repartez vers le nord. Rendez-vous au **394**.

273
Vous prenez le médaillon accroché au cou du Gremlin. Il est en or et sa valeur est de 9 Pièces du même métal. Vous ne trouvez rien d'autre d'intéressant dans la caverne et, comme elle ne comporte pas d'autre issue que le tunnel par où vous êtes venu, vous rebroussez chemin, toujours à quatre pattes, en direction de la bifurcation. Rendez-vous au **296**.

274
Vous remarquez sur votre gauche une liane qui pend du sommet d'un arbre jusqu'au sol. Vous levez les yeux et vous apercevez, aménagée dans le feuillage, une sorte de cabane rudimentaire. Si vous souhaitez grimper à cette liane pour explorer la cabane, rendez-vous au **195**. Si vous préférez poursuivre votre chemin vers le nord, rendez-vous au **109**.

275
Vous introduisez lentement votre main dans le trou sombre et vous sentez sous vos doigts un objet dur et froid. On dirait un bol en métal. Vous commencez à le tirer vers vous, mais à ce

moment une douleur fulgurante vous arrache une grimace : la dent pointue de quelque créature vient de s'enfoncer dans votre bras. Vous ramenez aussitôt votre bras sans lâcher l'objet et vous constatez que du sang coule d'une plaie provoquée par la dent mystérieuse. Vous perdez 1 point d'ENDURANCE. Vous examinez alors votre trouvaille et vous vous apercevez qu'il ne s'agit pas du tout d'un bol de métal, mais d'un casque en bronze qui semble à votre taille. Allez-vous :

Essayer le casque ?	Rendez-vous au **179**
Ou l'abandonner là et repartir vers le nord ?	Rendez-vous au **115**

276

Alors que vous prenez votre élan pour partir à l'attaque du cavalier masqué, le plus gros des quatre chiens bondit sur vous, et il vous faut d'abord le combattre.

CHIEN DE CHASSE HABILETÉ : 7 ENDURANCE : 6

Si vous parvenez à terrasser ce premier chien, vous aurez ensuite à combattre les trois autres chiens et leur maître deux par deux. Ils vous attaqueront par paire et, à chaque Assaut, vous devrez combattre l'un après l'autre les deux adversaires formant la paire, mais il vous faudra d'abord choisir, à chacun de ces Assauts, celui que vous affronterez en priorité. Vous attaquerez alors cet adversaire à la manière habituelle. Mais, lorsque vous aurez affaire à l'autre, vous ne parviendrez pas à le blesser si votre

Force d'Attaque est supérieure à la sienne ; vous aurez simplement évité le coup qu'il vous aura porté. En revanche, si sa propre Force d'Attaque est plus grande que la vôtre, vous aurez reçu une blessure selon les règles habituelles. Chaque fois que vous aurez réussi à tuer l'un des adversaires de chaque paire, le combat se poursuivra avec l'autre selon les règles normales.

	HABILETÉ	ENDURANCE
Première paire		
CHIEN DE CHASSE	6	6
CHIEN DE CHASSE	5	6
Deuxième paire		
CHIEN DE CHASSE	6	5
HOMME MASQUE	8	7

Si vous êtes vainqueur, rendez-vous au **62**.

277

Le chemin continue vers l'est pendant quelque temps, puis oblique soudain vers le nord en se rétrécissant légèrement. Les arbres semblent encore plus nombreux qu'à l'ordinaire, et un frisson vous parcourt l'échine : vous ressentez quelque chose d'anormal. Soudain, une branche d'arbre, à votre droite, jaillit d'un tronc et vous frappe. Vous tombez sur le sol et vous perdez 1 point d'ENDURANCE. Vous vous remettez sur pied en titubant et vous voyez alors qu'un des arbres s'est avancé sur le chemin et vous barre le passage. C'est un vieil arbre dont l'écorce est épaisse et fendillée. Vous distinguez au milieu de son tronc une paire d'yeux et une bouche, et vous réalisez que vous venez d'être attaqué par un HOMME ARBRE. Vous avez à présent le choix entre :

Prendre la *Fuite* en retournant à toutes jambes jusqu'à la bifurcation	Rendez-vous au **234**
Combattre l'Homme Arbre	Rendez-vous au **114**

278

Le chemin suit un étroit défilé entre deux collines. Vous vous sentez vulnérable et vous tirez votre épée, car vous pourriez à tout moment tomber dans un guet-apens. Mais, comme vous êtes occupé à surveiller sans cesse les deux versants du défilé, vous ne remarquez pas devant vous un carré de feuilles et de branches en plein milieu du chemin. Votre pied traverse alors ce camouflage qui dissimule un piège à ours, et vous tombez quatre mètres plus bas, au fond d'une fosse aux parois rocheuses. Pour ajouter à votre infortune, un pieu acéré est dressé au centre de la fosse et vous allez devoir *Tenter votre Chance*. Si vous êtes Chanceux, vous tombez à côté du pieu, mais vous vous faites quand même suffisamment mal pour perdre 2 points d'ENDURANCE. Si vous êtes toujours vivant, rendez-vous au **319**. Si vous êtes Malchanceux, la pointe de l'épieu vous transperce la jambe lorsque vous atterrissez au fond du piège, et vous perdez non seulement 2 points d'ENDURANCE en raison de la chute elle-même, mais encore 2 autres points à cause de la blessure à votre jambe. Si vous êtes toujours vivant, rendez-vous au **319**.

279
Considérez chacun des objets que vous transportez dans votre sac à dos comme une unité, y compris chaque Pièce d'Or. Faites les aménagements nécessaires sur votre Liste d'Équipement et rendez-vous au **246**.

280
Votre marche vers l'ouest est éprouvante, mais vous ne faites aucune mauvaise rencontre. Vous passez devant deux sentiers successifs qui mènent vers le sud mais vous poursuivez votre chemin dans la même direction, et vous arrivez enfin à une bifurcation. A nouveau, un sentier part vers le sud et, à nouveau, vous maintenez le cap au nord. Rendez-vous au **306**.

281
Vous arrivez à un croisement. Un chemin orienté au sud ramène vers les collines, et vous décidez de ne pas le prendre. Si vous voulez aller vers le nord, rendez-vous au **163**. Si vous préférez poursuivre en direction de l'est, rendez-vous au **393**.

282

Trois humanoïdes s'occupent des champignons à chapeaux rouges. Si vous souhaitez goûter à ces champignons, rendez-vous au **16**. Si vous préférez quitter la caverne en montant les marches dans la paroi du fond, rendez-vous au **293**.

283

Grâce aux propriétés magiques de la boue, vos blessures guérissent sous vos yeux et vous gagnez 4 points d'ENDURANCE. Vous vous sentez beaucoup mieux à présent et vous repartez vers le nord, le long du chemin. Rendez-vous au **303**.

284

Vous arrivez bientôt à une nouvelle bifurcation dans le tunnel. Si vous voulez aller vers le nord, rendez-vous au **81**. Si vous préférez vous diriger au sud, rendez-vous au **270**.

285

Vous dormez depuis environ une heure, lorsque un grognement sonore vous réveille. Vous vous levez sans bruit et vous empoignez votre épée, puis vous écoutez, immobile. Dans le ciel, la lune est pleine, et sa clarté projette alentour des ombres inquiétantes. Vous entendez alors des pas feutrés et des reniflements suivis d'un autre grognement. Un instant plus tard, une forme d'apparence humaine surgit de l'obscurité, à votre droite. A mesure que la créature approche, vous remarquez son torse, son visage et ses bras recouverts d'une épaisse fourrure, et les longues dents pointues qui hérissent ses mâchoires. Il s'agit là d'un LOUP-GAROU qu'il vous faut combattre.

LOUP-
GAROU   HABILETÉ : 8   ENDURANCE : 9

Si vous êtes vainqueur, rendez-vous au **388**.

286

Lorsque vous levez votre épée pour porter le premier coup, la créature commence à se métamorphoser sous vos yeux. Elle grandit et sa peau devient verdâtre, puis une longue queue épineuse lui pousse dans le dos ; ses bras enfin s'épaississent et des griffes acérées se déploient au bout de ses mains. Son visage également se déforme, prenant une apparence reptilienne avec des yeux rouges et une large gueule aux mâchoires plantées de dizaine de dents tranchantes comme des rasoirs. Ce n'est pas un Gobelin, en fait, mais un CHANGEUR DE FORME et il vous faut le combattre.

CHANGEUR
DE FORME   HABILETÉ : 10   ENDURANCE : 10

Si vous êtes vainqueur, rendez-vous au **373**.

287

Dès que vous êtes sorti de la caverne, vous prenez le temps de jeter un coup d'œil à l'intérieur du sac de cuir. Vous y trouvez 5 Pièces d'Or et une petite cloche de cuivre, que vous rangez dans votre sac à dos avant de courir vers la

285 *Vous entendez alors des pas feutrés et des reniflements suivis d'un autre grognement. Un instant plus tard, une forme d'apparence humaine surgit de l'obscurité.*

bifurcation, pour repartir vers le nord. Rendez-vous au **25**.

288

En descendant la colline, vous voyez s'étendre devant vous le fond de la vallée et vous apercevez au loin le sinistre mur vert sombre de la Forêt des Ténèbres. C'est au-delà de cette masse d'arbres et de buissons que se trouve Pont-de-Pierre, le but de votre voyage. Vous atteignez le pied de la colline et vous remarquez alors que de gros blocs rocheux s'alignent de chaque côté du chemin. Or, l'un de ces rocs — et l'un des plus imposants — se balance d'un côté et d'autre comme une feuille dans le vent. Il y a là de quoi être surpris et si vous voulez aller voir d'un peu plus près de quoi il retourne, rendez-vous au **84**. Si au contraire vous préférez poursuivre votre chemin vers le nord, au fond de la vallée, rendez-vous au **245**.

289

Le sentier étroit et recouvert de végétation continue à serpenter parmi les arbres touffus de la forêt. D'étranges cris d'animaux retentissent dans les feuillages. Vous arrivez bientôt à une autre bifurcation. Si vous souhaitez poursuivre vers l'ouest, rendez-vous au **76**. Si vous préférez prendre la direction du nord, rendez-vous au **147**.

290

Vous tirez votre épée en entrant dans la caverne. L'Ogre jette alors son bol et saisit la massue de pierre attachée à sa ceinture. Puis il se met à grogner et bondit sur vous. Préparez-vous à combattre.

OGRE   HABILETÉ : 8   ENDURANCE : 12

Si vous êtes vainqueur, rendez-vous au **385.** Vous pouvez également prendre la *Fuite* en retournant à toutes jambes sur le chemin pour repartir vers le nord. Rendez-vous dans ce cas au **358.**

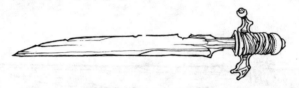

291

A mesure que vous avancez sur la plaine en direction du nord, les herbes sont de moins en moins hautes et le sol monte en pente douce. A quelque distance, vous entendez le grondement d'une chute d'eau, et vous atteignez bientôt la berge d'une large rivière qui coule sur deux niveaux : à votre droite, l'eau est calme et le courant très faible. Mais, en face, une haute et bruyante chute d'eau dégringole au fond d'un défilé : là, le lit de la rivière se rétrécit et son cours devient tumultueux tandis qu'elle s'enfonce vers l'ouest parmi de gros blocs rocheux. Des marches taillées dans le roc, juste à côté de la chute d'eau, permettent de descendre dans le défilé ; mais il est impossible de savoir où elles aboutissent exactement en raison des gerbes d'écumes qui jaillissent à leur base et qui les cachent à la vue. De l'autre côté de l'eau, le chemin continue vers le nord et, à votre droite, un petit bateau de bois est amarré à un poteau, là où le cours de la rivière est calme. Qu'allez-vous faire ?

Descendre les marches le long de la chute d'eau ? Rendez-vous au **335**

Traverser la rivière à la rame à bord du petit bateau ? Rendez-vous au **145**

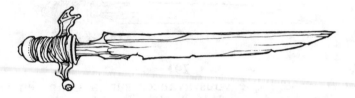

292

La lueur de la chandelle projette des ombres inquiétantes tout autour de la pièce. Dans une clarté jaunâtre, vous distinguez le visage d'un vieil homme gravé sur le bloc de pierre qui ferme le coffre. Puis vous remarquez la jambe d'un squelette qui dépasse de l'ombre à l'autre bout de la pièce. Vous vous approchez du squelette pour l'examiner : il est de petite taille et ses mâchoires sont dotées de dents pointues plantées en avant. Ce pourrait être le squelette d'un Gobelin ou celui d'un Orque. Vous vous approchez ensuite du coffre de pierre. Il doit être possible de déplacer le couvercle qui le ferme ; si vous souhaitez essayer, vous devrez vous rendre au **95.** Si vous préférez ne pas essayer d'ouvrir ce coffre, vous retournerez sur le chemin pour repartir vers le nord. Rendez-vous dans ce cas au **112.**

293

Les marches de pierre sont taillées dans le mur de la caverne, et l'humidité des lieux les a recouvertes d'une pellicule gluante. En levant les yeux, vous remarquez trois anfractuosités d'environ trois mètres de hauteur chacune, qui s'enfoncent dans la paroi. Les marches mènent devant chacune d'elles avant d'aboutir à l'ouverture pratiquée au sommet de la caverne. Vous montez les marches et, en jetant un coup d'œil dans l'obscurité de la première anfractuosité, vous distinguez un tonneau et un coffre de bois. Qu'allez-vous faire ?

Regarder à l'intérieur du tonneau ? Rendez-vous au **215**

Essayer d'ouvrir le coffre de bois ? Rendez-vous au **389**

Continuer à monter les marches ? Rendez-vous au **88**

294

La cabane consiste en une simple pièce dotée d'une cheminée. Pour tout ameublement, vous apercevez un lit en bois, une table, deux chaises, un coffre, en bois également, une cuvette et des étagères surchargées d'œufs d'oiseaux. Une épaisse couche de poussière recouvre le sol et il semble que l'endroit soit inhabité depuis des mois. Qu'allez-vous faire ?

Fouiller dans la cheminée ?	Rendez-vous au **106**
Ouvrir le coffre de bois ?	Rendez-vous au **175**
Quitter la cabane et poursuivre votre chemin vers le nord ?	Rendez-vous au **288**

295

En tombant, vous vous cognez la tête contre la paroi du puits. Portez-vous un casque ? Si oui, rendez-vous au **225**. Sinon, rendez-vous au **30**.

296

De retour à la bifurcation, vous pouvez soit retourner au puits en direction du sud, toujours à quatre pattes, bien entendu (rendez-vous au **398**), soit poursuivre vers l'ouest (rendez-vous dans ce cas au **284**).

297

Le Gnome prend son dû et sourit, puis il vous révèle qu'il a vu le squelette d'un Gobelin à l'intérieur d'une crypte de pierre. C'est peut-être le squelette de l'un des deux Gobelins que vous

294 *Une épaisse couche de poussière recouvre le sol de la cabane, et il semble que l'endroit soit inhabité depuis des mois.*

recherchez, mais ce n'est pas sûr. Il ajoute que la crypte se trouve quelque part au nord de la forêt, mais il ne sait pas exactement où. Vous êtes fort mécontent que le Gnome ne soit pas en mesure de vous en dire davantage et vous repartez vers l'ouest d'un pas vif. Rendez-vous au **67.**

298

Vous dormez depuis environ une heure, lorsqu'un effroyable hurlement vous réveille en sursaut. Il semble provenir de quelque distance en direction de l'ouest. Au-dessus de vous, la pleine lune brille dans le ciel de la nuit, et tandis que vous la contemplez, vous remarquez soudain une énorme silhouette qui se déplace parmi les branches des arbres. Vous oubliez alors le hurlement et vous vous levez d'un bond en empoignant votre épée au moment précis où une ARAIGNÉE GÉANTE se laisse tomber sur le sol, juste devant vous. Sa masse arrondie s'avance lentement sur ses longues pattes noires et velues. Vous n'avez pas l'intention de vous enfuir en laissant là tous vos biens et vous êtes donc obligé de combattre.

ARAIGNÉE
GÉANTE   HABILETÉ : 7   ENDURANCE : 8

Si vous êtes vainqueur, rendez-vous au **140.**

299

Vous courez à toutes jambes en direction de l'endroit d'où provient le bruit d'eau, suivi juste derrière vous par une longue traînée d'ABEIL-LES TUEUSES. Vous atteignez bientôt la berge d'une rivière et, sans prendre le temps d'y penser, vous plongez droit dans l'eau, puis vous restez sous la surface le plus longtemps possible en retenant votre souffle. Lorsque vous remontez à l'air libre, les Abeilles Tueuses sont parties. Vous vous hissez alors hors de la rivière et vous commencez à vous sécher. Mais en vérifiant le contenu de votre sac à dos, vous constatez avec désespoir que toutes vos Provisions se sont gâtées au contact de l'eau. Vous jetez ensuite un coup d'œil alentour et vous remarquez que le chemin continue vers le nord, de l'autre côté de la rivière que l'on peut franchir en empruntant un vieux pont de bois tout branlant. Si vous souhaitez passer ce pont, rendez-vous au **65**. Mais s'il ne vous inspire vraiment pas confiance, vous pouvez traverser la rivière à la nage en vous rendant au **75**.

300

De chaque côté du chemin, des rayons de lumière blanche traversent les feuillages. C'est la lisière de la Forêt et bientôt, le sentier sort de sous les arbres et débouche sur une vaste plaine couverte de hautes herbes. Au-delà, le sol s'élève au pied de collines basses. Un autre chemin mène vers l'ouest. Allez-vous :

Continuer vers le nord ?   Rendez-vous au **138**
Partir vers l'ouest ?   Rendez-vous au **331**

301

Vous fouillez les poches des Lutins et vous y trouvez 3 Pièces d'Or, une petite flûte de cuivre et des biscuits grouillant de vers. Autour du cou d'une des créatures est également attaché un collier fait de crânes de souris. Si vous estimez avoir besoin de l'un quelconque de ces objets (ou de plusieurs, voire de tous), inscrivez-les sur votre Liste d'Equipement et rendez-vous au **157.**

302

Vous passez le bracelet autour de votre poignet et, soudain, une énergie nouvelle parcourt votre bras et vous faites un bond sur place. Vous vous sentez fort car ce bracelet est un Bracelet d'Habileté qui vous permettra d'ajouter 1 point à votre Force d'Attaque lors de vos futurs combats et cela, aussi longtemps que vous le porterez. Inscrivez-le sur votre Liste d'Equipement et redescendez le long de la liane pour repartir en direction du nord. Rendez-vous au **109.**

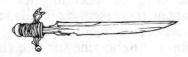

303

Tout là-haut dans le ciel, vous voyez voler une énorme créature beaucoup plus grande que n'importe quel oiseau. La créature descend sur vous et vous tirez votre épée. Elle pousse de grands cris et vous distinguez bientôt sa longue tête à la gueule hérissée de dents pointues. Elle a la peau verdâtre d'un reptile, et ses ailes déployées ont une envergure d'au moins cinq mètres. Il n'y a aucun abri possible au fond de cette vallée et vous allez devoir affronter ce PTERODACTYLE qui fond sur vous.

PTERO-
DACTYLE   HABILETÉ : 7   ENDURANCE : 8

Si vous êtes vainqueur, rendez-vous au **247**.

304

Il faudra du temps pour que votre jambe guérisse. Vous trouvez deux branches sur le sol, et vous vous en servez comme d'attelles en les attachant de chaque côté de votre jambe brisée à l'aide de la ceinture de cuir que vous portez à la taille. Puis vous vous asseyez et vous vous reposez. Il vous faudra manger cinq rations de vos Provisions avant de vous sentir à nouveau d'attaque et s'il ne vous reste pas cinq rations, vous mourrez de faim. Si, en revanche, vous survivez, vous devrez réduire de 2 points votre total d'HABILETÉ en raison de votre blessure. Vos yeux se sont bien habitués à l'obscurité, à présent, et vous vous apercevez que le tunnel n'a pas plus d'un mètre de hauteur. Il vous faut avancer à quatre pattes pour l'explorer. Rendez-vous au **69**.

305

Vous contournez le cadavre de la Vouivre et vous entreprenez de fouiller sa tanière et les débris abandonnés tout autour. Vous découvrez bientôt un gantelet de fer, un couteau à lancer, 10 Pièces d'Or et un anneau, d'or également.

Vous rangez le couteau et les pièces dans votre sac à dos. Et maintenant, vous avez le choix entre :

Essayer le gantelet	Rendez-vous au **374**
Passer l'anneau à votre doigt	Rendez-vous au **133**
Laisser là ces objets et repartir vers le nord le long du chemin	Rendez-vous au **360**

306

A la droite du chemin, vous apercevez parmi les arbres un petit édifice de pierre couvert de lierre et de mousse. Si vous souhaitez l'examiner, rendez-vous au **391**. Si vous préférez poursuivre vers le nord, le long du chemin, rendez-vous au **112**.

307

Le petit homme s'éveille en sursaut, perd l'équilibre et tombe du champignon. Il pousse un juron en atterrissant sur le sol puis remonte d'un bond sur le champignon et s'écrie : « Qui a fait ça ? Qui a fait ça ? » Il vous regarde alors et fronce les sourcils. Vous pouvez soit attaquer ce GNOME (rendez-vous au **192),** soit essayer d'engager la conversation avec lui (rendez-vous au **271).**

308

En mangeant les champignons, vous ressentez une grande agitation dans tout votre corps, et vous pensez aussitôt que vous êtes peut-être en train de devenir vous-même un Changeur de Forme ! Bientôt, cependant, vous êtes soulagé de sentir cette agitation s'apaiser puis disparaître ; vous n'êtes pas devenu un Changeur de Forme, mais vous avez mangé des Champignons Brouilleurs et votre total d'HABILETÉ va maintenant remplacer votre total de CHANCE et inversement, c'est-à-dire que vous devrez intervertir les deux chiffres figurant dans ces cases respectives. Vous vous sentez un peu bizarre à présent, mais vous repartez malgré tout en direction du nord. Rendez-vous au **148**.

309

Le chemin coupe à travers les hautes herbes qui vous arrivent à peu près à la taille. Bien que la visibilité soit bonne et vous permette de surveiller les environs, vous vous sentez mal à l'aise, craignant qu'une quelconque créature vous guette d'un côté ou de l'autre du sentier. Soudain, l'herbe remue à votre gauche, et deux tubes de bois apparaissent, pointés droit sur vous. Ce sont des sarbacanes appartenant à deux **PYGMÉES** qui soufflent des fléchettes en vous visant. *Tentez votre Chance* deux fois, une fois pour chaque fléchette. Si vous êtes Chanceux à deux reprises, aucun des projectiles ne vous atteint et vous vous rendez au **77**. Si vous êtes Malchanceux, en revanche, une ou deux fléchettes viennent se planter dans votre cou. Rendez-vous alors au **197**.

310

Le Troll des Cavernes se lève et se met à grogner avec force. Il est tout à fait mécontent d'être ainsi dérangé par un importun et s'avance vers vous en brandissant sa massue. Il faut le combattre.

TROLL DES CAVERNES	HABILETÉ : 8	ENDURANCE : 9

Si vous êtes vainqueur, rendez-vous au **101**.

311

En fouillant leurs vêtements et leurs bourses, vous ne trouvez rien d'intéressant, à part 2 Pièces d'Or que vous rangez dans votre sac à dos. Vous repartez ensuite vers le nord, le long du chemin, et vous remarquez bientôt que le feuillage des arbres se fait moins dense de part et d'autre du sentier. Vous sortez alors de la Forêt et vous arrivez sur un champ cultivé. Vous avez enfin quitté la Forêt des Ténèbres ! Rendez-vous au **204**.

312

Vous enjambez le cadavre de la Goule et vous regardez à l'intérieur du cercueil. Vous y trouvez 25 Pièces d'Or mais vous êtes surtout ravi d'y découvrir un objet qui servait d'oreiller à la Goule : il s'agit d'une tête de marteau en bronze gravée de la lettre G. Tout heureux, vous rangez vos trouvailles dans votre sac à dos et vous quittez la crypte pour retourner sur le chemin et repartir vers le nord. Rendez-vous au **112**.

313

Il n'y a pas grand-chose d'intéressant dans la caverne. Vous n'y trouvez tout d'abord qu'une paillasse, des pots en pierre, une table et une chaise ; mais sur une étagère au-dessus du lit, un objet attire bientôt votre regard : il s'agit d'une petite boîte en argent. Si vous souhaitez l'ouvrir, rendez-vous au **240**. Si vous préférez la laisser là et vous approcher de la créature enfermée dans la cage, rendez-vous au **85**. Et si vous décidez de quitter immédiatement la caverne sans emporter la boîte en argent, vous poursuivrez votre chemin en direction du nord, en vous rendant au **358**.

314

Le sentier devient très escarpé à mesure qu'il monte dans les collines, et, lorsque vous en atteignez le sommet, le soleil est brûlant. A quelque distance, vous apercevez le cercle vert sombre de la Forêt des Ténèbres. La brume du matin s'étend sur les hautes herbes derrière vous, mais devant, les rayons du soleil illuminent une vallée sans nuages. Tout est tranquille et lorsque vous descendez le versant opposé de la colline, vous remarquez à droite du chemin une petite cabane en bois dont la porte est entrouverte. Si vous souhaitez entrer dans cette cabane, rendez-vous au **294**. Si vous préférez poursuivre votre route en direction du nord, rendez-vous au **288**.

315

Vous ouvrez une porte de bois brut et vous pénétrez dans une pièce à l'aspect misérable. Qu'allez-vous faire ?

Parler à la vieille femme ? Rendez-vous au **42**
Tirer votre épée ? Rendez-vous au **342**

316

Vous finissez par vous rendormir, mais vous passez une nuit agitée. Au matin, vous ramassez vos affaires et vous repartez vers le nord, le long du chemin qui mène en direction des collines. Rendez-vous au **198**.

317

Vous tirez votre épée en vous tenant prêt à affronter ceux qui se disputent ainsi. Deux créatures apparaissent alors : elles sont de haute taille, très maigres et vêtues de haillons sur lesquels elles ont passé des cottes de mailles. En vous voyant, elles interrompent aussitôt leur dispute. Ce sont là des LUTINS qui dégainent leurs épées et vous attaquent.

	HABILETÉ	ENDURANCE
Premier LUTIN	6	6
Deuxième LUTIN	5	7

Si vous êtes vainqueur, rendez-vous au **301**. Si vous souhaitez prendre la *Fuite* au cours du

317 *Deux créatures apparaissent alors. Elles sont de haute taille, très maigres, et vêtues de haillons sur lesquels elles ont passé des cottes de mailles.*

combat, vous pourrez le faire en vous rendant au **41.**

318
Vous sautez d'un bond dans les sous-bois au bord du chemin et, en restant caché derrière des feuillages, vous apercevez les jambes de quelque homme gigantesque qui passe devant vous. Bientôt, il est hors de vue, et vous revenez sur le sentier pour repartir vers le nord. Rendez-vous au **231.**

319
Avez-vous des Bottes à Bondir ? Si oui, rendez-vous au **228.** Sinon, rendez-vous au **14.**

320
Vous saisissez la jambe et vous tirez dessus de toutes vos forces. Un petit GREMLIN à la peau verte tombe alors devant vous en poussant un long gémissement, puis atterrit dans l'eau. Vous profitez de l'occasion pour remonter l'échelle en hâte tandis que la créature patauge au fond du puits. Vous arrivez bientôt à l'air libre et vous retournez sur le chemin. Rendez-vous au **362.**

321
A chaque fois que meurt l'un des Guerriers Clones, son corps se dissout en un liquide coloré qui se répand sur le sol rocheux. Vous n'avez pas l'intention, quant à vous, de rester plus longtemps dans cet endroit humide aux odeurs de moisi, et vous sortez aussitôt pour continuer à monter les marches. Rendez-vous au **107.**

322

La lumière qui jaillit de votre anneau perce l'obscurité qui règne dans les profondeurs du tronc et du tunnel au-dessous. Vous apercevez alors un médaillon d'or qui pend au bout d'un ruban de soie accroché à un clou, à l'intérieur du tronc. Il est à portée de main et vous vous en emparez. Le médaillon vaut 5 Pièces d'Or et vous le rangez dans votre sac à dos. Le fond du tunnel se trouve à cinq mètres de profondeur et, si vous possédez une Corde Magique, vous vous rendez au **94**. Dans le cas contraire, vous irez au **380**.

323

En marchant vers le nord, vous arrivez bientôt à une bifurcation. Vous pouvez :

Continuer en direction du nord	Rendez-vous au **291**
Aller à l'ouest	Rendez-vous au **99**
Aller à l'est	Rendez-vous au **102**

324

Vous contournez la cabane et vous apercevez un grand vase bleu posé au milieu d'une petite véranda. Il n'y a personne alentour et personne à l'intérieur de la cabane lorsque vous en ouvrez la porte. Elle est d'ailleurs complètement vide : pas le moindre meuble, pas le moindre objet. Vous ressortez et vous allez examiner le vase bleu. Vous regardez à l'intérieur, mais, en dépit de la lumière du soleil, vous ne parvenez pas à voir quoi que ce soit au-delà de son col. Le vase semble empli d'une inquiétante obscurité. Vous le secouez alors et vous entendez un cliquetis. Qu'allez-vous faire ?

Essayer de casser le vase
en le jetant sur le sol ?   Rendez-vous au **250**

Mettre la main à l'inté-
rieur du vase ?   Rendez-vous au **161**

Laisser le vase où il est et
rejoindre le chemin pour
repartir vers le nord ?   Rendez-vous au **149**

325

Vous dormez depuis environ une heure lorsque un bruissement d'ailes vous réveille soudain. Vous vous redressez, vous empoignez votre épée, et vous apercevez dans la clarté de la pleine lune trois silhouettes de grande taille qui volent dans votre direction. Il semble qu'il s'agisse là d'immenses Chauves-Souris, mais lorsqu'elles sont suffisamment près pour que vous puissiez mieux les distinguer, vous remarquez un détail qui ne trompe pas : leurs gueules sont munies de dents pointues et ce sont donc des CHAUVES-SOURIS VAMPIRES. Si vous avez des gousses d'ail avec vous, c'est le moment de les sortir en vous rendant au **268**. Sinon, rendez-vous au **79**.

326

Debout sur la berge, vous examinez les alentours, mais il ne semble pas exister d'autre moyen que ce bateau pour traverser la rivière. Rendez-vous au **145**.

327

Vous distinguez à l'intérieur un escalier de pierre qui descend en d'obscures profondeurs. Impossible cependant d'apercevoir quoi que ce soit au bas des marches. Si vous souhaitez emprunter cet escalier, rendez-vous au **351**. Si vous préférez quitter l'édifice et retourner sur le chemin pour repartir en direction du nord, rendez-vous au **112**.

328

Bien qu'elle soit taillée dans un bois de chêne particulièrement dur, la chaise est étonnamment confortable. Vous commencez alors à manger, mais au lieu de sentir vos forces revenir, vous éprouvez une impression de faiblesse. C'est que vous vous êtes assis sur une Chaise Dévoreuse de Vie qui vous fait perdre 4 points d'ENDU-RANCE en dépit de la nourriture que vous venez d'absorber. Si vous êtes toujours vivant, vous parvenez à vous relever lentement, et vous repartez en titubant le long du chemin en direction du nord. Rendez-vous au **118**.

329

La lumière du jour apparaît à travers les feuillages à mesure que la végétation devient moins dense et, bientôt, vous quittez la forêt pour arriver devant une vaste plaine couverte de hautes herbes. Au-delà, le sol s'élève, au pied de collines basses. Un autre chemin mène vers l'est. Vous pouvez poursuivre votre voyage :

En continuant vers le nord	Rendez-vous au **180**
En allant vers l'est	Rendez-vous au **252**

330

Vous dormez depuis environ une heure lorsqu'un effroyable hurlement vous réveille en sursaut. Vous ranimez les braises du feu en remettant du bois à brûler, et vous levez les yeux vers la pleine lune qui éclaire le ciel. Le dos tourné vers les rochers, le feu allumé devant vous, vous attendez, votre épée à la main. Vous avez le sentiment d'être observé et, bientôt, vous distinguez non loin du feu trois paires d'yeux qui brillent d'un éclat rouge dans l'obscurité. Un autre hurlement déchire le silence, suivi par des grognements. Les trois paires d'yeux avancent alors vers vous avec lenteur et vous voyez surgir de l'ombre trois LOUPS qui s'apprêtent à bondir sur vous. Ils vous attaquent un par un.

	HABILETÉ	ENDURANCE
Premier LOUP	7	7
Deuxième LOUP	8	7
Troisième LOUP	7	9

Si vous êtes vainqueur, rendez-vous au **116**.

331

Vous arrivez bientôt à une autre bifurcation. Le sentier orienté au sud ramène droit vers la forêt, et vous décidez de ne pas le prendre. Vous pouvez donc :

Continuer vers l'ouest   Rendez-vous au **124**
Ou aller au nord   Rendez-vous au **309**

332

Vous arrivez bientôt à une nouvelle bifurcation. Consultant la carte de Gromollet, vous décidez d'aller vers le nord en direction de Pont-de-Pierre et de ne pas prendre par conséquent le chemin qui continue vers l'ouest. Rendez-vous au **103**.

333

La couronne vous va à merveille et en vous voyant ainsi coiffé, les deux Guerriers Clones vous fixent avec de grands yeux qui expriment un respect mêlé de crainte. Grâce à la couronne posée sur votre tête, vous pouvez entrer en communication télépathique avec les deux créatures, et vous comprenez alors, en lisant dans leurs pensées, ce qu'elles essayent de vous dire : vous êtes leur nouveau maître et elles attendent les ordres que vous voudrez bien leur donner. Elles vous demandent notamment ce que l'on doit faire de la nouvelle récolte de champignons à chapeaux rouges. Vous n'avez cependant pas la moindre envie d'être le maître de ces humanoïdes, qu'ils soient guerriers ou qu'ils cultivent des champignons, et vous levez les mains pour ôter la couronne de votre tête. Mais vous vous apercevez alors avec terreur que la peau de vos mains s'est flétrie et a pris une couleur sombre. Vous essayez d'enlever la couronne, mais elle ne bouge pas : c'est une couronne maléfique qui a trouvé en vous une nouvelle victime ; et peu à peu les traits de votre visage se transforment car vous êtes en train de prendre la forme et la couleur d'un Démon de Feu. Votre nouveau destin est scellé et votre aventure se termine ici.

334
Entre les collines, vous voyez s'étendre le fond d'une verte vallée et, au-delà, vous apercevez le sinistre mur d'arbres de la Forêt des Ténèbres. C'est de l'autre côté de cette sombre végétation que se trouve Pont-de-Pierre, le but de votre voyage. Au pied des collines, dans la vallée, le chemin bifurque. Si vous voulez aller vers l'ouest, rendez-vous au **113**. Si vous préférez prendre la direction de l'est, rendez-vous au **51**.

335
Vous descendez les marches glissantes jusqu'au bas de la chute d'eau. En levant les yeux, vous voyez alors un magnifique arc-en-ciel qui se reflète dans l'écume tourbillonnante. Il fait sombre dans le défilé et il est impossible de voir quoi que ce soit à travers le rideau de l'eau qui tombe. Les marches s'arrêtent là et si vous voulez traverser la chute d'eau, il faudra vous rendre au **181**. Si, en revanche, vous préférez remonter les marches, rendez-vous au **326**.

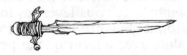

336

Vous ressentez une douleur qui prend naissance dans votre estomac et se répand ensuite dans tout votre corps. Si vous avez une Potion Anti-poison, rendez-vous au **21**. Dans le cas contraire, rendez-vous au **108**.

337

La végétation se fait moins dense, et des rayons de soleil apparaissent de chaque côté du chemin, traversant les trouées du feuillage. Le sentier s'élargit et vous apercevez l'entrée d'une vaste caverne à quelques mètres en arrière, sur votre droite. Si vous souhaitez explorer cette caverne, rendez-vous au **230**. Si vous préférez continuer le long du chemin en direction du nord, rendez-vous au **358**.

338

Le gaz est toxique et vos yeux se mettent à larmoyer. Vous retenez votre souffle le temps de trouver vos Filtres à Nez et vous les glissez dans vos narines. Vous inspirez avec prudence, mais tout va bien et, quelques instants plus tard, le nuage autour de votre tête se dissipe. Vous rangez alors la boîte en argent dans votre sac à dos ; si vous souhaitez à présent vous approcher de la créature enfermée dans la cage, vous devrez vous rendre au **85**. Si vous préférez quitter la caverne et poursuivre votre chemin vers le nord, rendez-vous au **358**.

339

Vous arrivez bientôt sur la berge d'une rivière au cours paisible. Le chemin continue de l'autre côté de l'eau que vous pouvez franchir en empruntant un vieux pont de bois tout délabré. Si vous souhaitez passer ce pont, rendez-vous au **65**. Mais si vous préférez ne pas prendre ce risque et traverser plutôt la rivière à la nage, en prenant soin de maintenir votre sac à dos hors de l'eau pour en garder le contenu au sec, rendez-vous au **75**.

340

En marchant le long du chemin, vous voyez bientôt un petit homme coiffé d'un casque de fer et portant une cotte de mailles. Il est assis au bord du sentier, sur un tronc d'arbre mort. C'est un NAIN et il ne semble pas particulièrement ravi de vous voir. Qu'allez-vous faire ?

Essayer d'engager la conversation avec lui ?	Rendez-vous au **141**
Tirer votre épée et l'attaquer ?	Rendez-vous au **347**
Le pousser pour le faire tomber du tronc et vous enfuir ensuite le long du chemin en direction de l'est ?	Rendez-vous au **59**

341

La douleur dans votre main est presque insupportable, mais vous parvenez cependant à la surmonter. Au fond du vase, vos doigts entrent alors en contact avec divers objets que vous attrapez et que vous sortez aussitôt de leur cachette. Vous examinez ensuite votre butin et

340 *Vous voyez bientôt un petit homme, coiffé d'un casque de fer et portant une cotte de mailles.*

vous y trouvez 5 Pièces d'Or, une dent de dragon, et une fiole de verre contenant une Potion de Force qui vous rendra 5 Points d'ENDU-RANCE lorsque vous déciderez de la boire. Vous gagnez 1 point de CHANCE et vous retournez sur le chemin pour repartir vers le nord. Rendez-vous au **149**.

342

Lorsque vous tirez votre épée, le visage de la vieille femme n'exprime plus l'indifférence mais la colère. Elle prend alors dans le tiroir d'une table à côté d'elle une poignée de fleurs mortes, dont elle frotte quelques pétales entre les paumes de ses mains. Aussitôt, une odeur douceâtre envahit la cabane, et la pièce commence à tournoyer devant vos yeux. Si vous avez un Bandeau de Concentration, rendez-vous au **158**. Sinon, rendez-vous au **11**.

343

Vous posez la Pièce d'Or sur le poteau indicateur, ainsi que le corbeau vous l'a demandé. « Allez vers le nord », dit alors l'oiseau. Vous lui demandez pourquoi il a besoin d'or et il vous répond qu'il lui faut en tout 30 Pièces : c'est le prix que demande Yaztromo pour lui redonner son apparence humaine. Vous prenez congé du volatile et, si vous voulez suivre la direction du nord comme il vous l'a conseillé, vous vous rendrez au **8**. Si vous préférez continuer vers l'est, rendez-vous au **239**.

Vous glissez la lame de votre épée entre les
mâchoires du piège et vous vous en servez pour
faire levier. L'étranger vêtu de la djellaba vous
aide en tirant de toutes ses forces, et le piège finit
par s'ouvrir. L'homme se confond en remerciements et vous raconte qu'il parcourt cette
forêt à la recherche de son frère depuis longtemps disparu, et dont il soupçonne qu'il s'est
retiré quelque part en ces lieux pour y mener une
vie d'ermite. Vous vous frayez tous deux un chemin parmi les racines enchevêtrées pour rejoindre le sentier, puis vous demandez à l'étranger
s'il veut vous accompagner en direction du
nord ; mais il décline poliment votre invitation
en déclarant que son frère, selon lui, a plutôt dû
s'établir au sud. Vous vous serrez donc la main
et vous prenez congé. Rendez-vous au **36**.

Votre estomac vous fait de plus en plus mal et
la sueur perle à votre front. Vous vous mettez à
trembler et vous perdez 4 points d'ENDURANCE.
Si vous êtes toujours vivant, la douleur finit par
disparaître peu à peu et vous décidez de quitter
cet endroit en vous dirigeant vers les marches,
dans la paroi opposée. Rendez-vous au **293**.

Arragon lève les bras et écarte les doigts de ses
mains. « Quelle est ta décision, étranger ? »
demande-t-il alors. Si vous acceptez de lui donner ce qu'il demande, rendez-vous au **32**. Si vous
préférez ne pas tenir compte de ses menaces et
tirer votre épée, rendez-vous au **111**.

347

Le Nain est un combattant robuste et chevronné et il manie sa hache avec une très grande habileté.

NAIN　　HABILETÉ : 8　　ENDURANCE : 5

Si vous êtes vainqueur, rendez-vous au **363**.

348

Les deux hommes sautent en tous sens, les bras levés, exprimant ainsi leur joie à vous voir peiner pour arracher la flèche de votre épaule. Vous serrez les dents et vous tirez sur la flèche qui finit par s'extraire de votre blessure. Les deux hommes sont pris d'un fou rire bruyant et irrépressible et semblent vous avoir complètement oublié. Si vous souhaitez attaquer ces HOMMES DES BOIS, rendez-vous au **43**. Si vous préférez passer devant eux, en profitant de ce qu'ils sont trop occupés à rire pour s'occuper de vous, rendez-vous au **188**.

349

Vous arrivez à un croisement. Le sentier orienté au sud ramène vers la forêt : il ne vous intéresse pas, et vous pouvez choisir d'aller au nord en vous rendant au **291,** ou de poursuivre en direction de l'est (rendez-vous au **102**).

350

Vous fouillez dans votre sac à dos et vous en retirez un petit sac qui contient les capsules. Il y en a cinq en tout, de couleur rouge brillante. Vous en prenez une et vous la lancez sur l'Homme Arbre qui avance vers vous. Elle atterrit devant lui, puis explose en un nuage de fumée blanche. Un jet de feu jaillit alors du sol obligeant l'Homme Arbre à reculer. Vous profitez de l'occasion pour lui jeter les autres capsules, et des flammes bientôt s'élèvent tout autour de son tronc. Il ne vous reste plus qu'à passer en courant devant lui pendant qu'il est ainsi cerné. Bientôt, vous êtes parvenu à bonne distance du monstre végétal et vous cessez de courir. Vous poursuivez ensuite votre chemin vers le nord en remarquant que la végétation s'éclaircit. Rendez-vous au **329**.

351

Vous descendez prudemment l'escalier de pierre en tâtant chaque marche du bout du pied. Peu à peu, vos yeux s'habituent à l'obscurité et vous commencez à distinguer des formes au bas de l'escalier. Après avoir descendu la dernière marche, vous vous retrouvez dans une petite pièce carrée au plafond bas. Une épaisse couche de poussière recouvre le sol et il y a partout des toiles d'araignée. Au milieu de la pièce se trouve un grand coffre de pierre qui mesure environ deux mètres de long sur un de large, et qui est fermé par un couvercle également en pierre.

351 *Au milieu de la pièce se trouve un grand coffre de pierre, qui mesure environ deux mètres de long sur un de large.*

Une niche a été creusée dans la pierre brute de l'un des murs et vous y trouvez une chandelle. Vous avez le choix entre allumer cette chandelle (rendez-vous au **292**), ou remonter l'escalier, retourner sur le chemin, et repartir vers le nord (rendez-vous dans ce cas au **112**).

352

L'Homme Singe sur son arbre fait preuve d'une grande agilité, tandis que vous éprouvez quelque difficulté à manier votre épée. Vous devrez de ce fait déduire 2 points de votre Force d'Attaque à chaque Assaut.

HOMME
SINGE   HABILETÉ : 8   ENDURANCE : 7

Si vous êtes vainqueur, rendez-vous au **207**. Vous pouvez également prendre la *Fuite* en sautant de la plate-forme sur le sol qui se trouve à cinq mètres au-dessous. Rendez-vous dans ce cas au **156**.

353

Lorsque vous vous réveillez, vous vous apercevez que vous êtes étendu sur le sol, à l'extérieur de la cabane en bois. Vous vous asseyez et vous regardez à l'intérieur de votre sac à dos : on vous a volé toutes vos Provisions ! Fort heureusement, rien d'autre ne manque et vous avez toujours votre épée. Vous allez ensuite jeter un coup d'œil à l'intérieur de la cabane, mais elle est déserte. Si vous souhaitez fouiller l'endroit dans l'espoir d'y trouver quelque chose qui puisse vous être utile, rendez-vous au **26**. Si vous préférez repartir et retourner sur le chemin en direction du nord, rendez-vous au **220**

354

Quin hoche la tête, l'air incrédule, puis il se lève et s'approche d'un coffre de bois à l'arrière de la cabane. Il en soulève le couvercle et en sort une petite fiole de verre. Il vient vous l'apporter, puis retourne devant la table et se laisse tomber sur sa chaise, visiblement démoralisé. La poudre que contient la fiole étincelle à la lumière du jour, et vous la rangez dans votre sac à dos avant de quitter la cabane. Une fois dehors, vous retournez à la bifurcation. Rendez-vous au **349.**

355

Vous arrivez à une autre bifurcation. Le sentier orienté au sud ne vous intéresse pas et vous continuez vers l'est. Rendez-vous au **340.**

356

En fouillant les vêtements du Géant de la Forêt, vous découvrez une lanterne de cuivre munie d'une mèche verte. Il n'y a aucun combustible à l'intérieur et il s'agit peut-être d'une lanterne magique. Qu'allez-vous faire ?

Frotter la lanterne puis faire un vœu ?	Rendez-vous au **34**
Essayer d'allumer la mèche ?	Rendez-vous au **395**
Jeter la lampe et repartir vers le nord ?	Rendez-vous au **231**

357

En suivant le sentier sinueux, vous passez devant un autre chemin orienté au sud qui mène vers la vallée. Vous n'avez nullement l'intention de le prendre et vous continuez vers l'ouest. Le sentier aboutit un peu plus loin à une bifurcation. Cette fois encore, vous n'empruntez pas le chemin orienté au sud, et vous allez plutôt vers le nord. Rendez-vous au **306**.

358

En cheminant le long du sentier, vous ne remarquez pas un nœud coulant caché sous des feuilles mortes, à quelque distance devant vous. Votre pied se prend alors dans le nœud et, soudain, vous vous retrouvez soulevé de terre par une corde attachée à une branche d'arbre qui s'est détendue comme un ressort. Un instant plus tard vous êtes suspendu tête en bas, le pied coincé dans le nœud coulant. *Tentez votre Chance*. Si vous êtes Chanceux, votre épée reste dans son fourreau et vous pouvez vous en servir pour couper la corde et vous libérer. Rendez-vous dans ce cas au **40**. Si vous êtes Malchanceux, votre épée glisse de son fourreau et tombe sur le sol, vous laissant là pendu comme un cochon, et incapable de vous dépêtrer. Rendez-vous alors au **218**.

359

A gauche du chemin, vous apercevez un puits à la margelle de pierre avec un seau suspendu à une manivelle. Si vous voulez aller voir ce puits de plus près, rendez-vous au **172**. Si vous préférez poursuivre votre route vers l'est, rendez-vous au **281**.

360

En marchant le long du chemin, vous entendez soudain craquer une brindille et des voix chuchoter. Vous tirez aussitôt votre épée et vous attendez, plutôt inquiet, adossé au tronc d'un grand chêne. Quatre hommes et une femme vêtus de tuniques vertes surgissent alors de derrière les arbres en face de vous. Chacun d'eux paraît menaçant et ils s'avancent vers vous en brandissant des haches et des épées. La jeune femme se détache du groupe et vous déclare que vous avez pénétré sur leur territoire ; vous devez payer en conséquence une taxe qu'elle fixe à cinq des objets que vous transportez dans votre sac à dos. Sinon, vous aurez à répondre de votre faute les armes à la main. Si vous souhaitez leur donner ce qu'ils demandent, rendez-vous au **279**. Si vous préférez, pour toute réponse, cracher par terre et les combattre, rendez-vous au **104**.

361

D'un peu plus loin, vous parviennent des aboiements de chiens qui se rapprochent. Et soudain, un renard brun, les yeux exorbités, file devant vous en direction de l'est, tandis que les aboiements s'intensifient. Si vous souhaitez faire face à la meute qui arrive, rendez-vous au **396**. Si vous préférez vous cacher dans les hautes herbes, à l'écart du chemin, et laisser les chiens poursuivre le renard, rendez-vous au **86**.

360 *La jeune femme se détache alors du groupe, et vous déclare que vous avez pénétré sur leur territoire.*

362

Quelle direction allez-vous prendre ? Si vous souhaitez continuer vers l'est, rendez-vous au **281**. Si vous préférez l'ouest, rendez-vous au **238**.

363

Vous fouillez dans le sac à dos du Nain et vous y trouvez une bouteille contenant un liquide clair. Si vous souhaitez boire ce liquide, rendez-vous au **68**. Si vous préférez abandonner la bouteille et repartir vers l'est le long du chemin, rendez-vous au **59**.

364

Vous saluez d'un signe de tête le cavalier masqué, et vous lui souhaitez le bonjour. Il vous rend votre salut mais ne répond rien. Vous lui parlez alors de la mission que vous accomplissez pour venir en aide aux Nains de Pont-de-Pierre. L'homme alors saute de sa monture puis, rejetant sa cape en arrière, tend le bras droit pour vous serrer la main. Vous remarquez aussitôt qu'il porte un gros anneau d'or à chacun de ses doigts. Qu'allez-vous faire ?

L'attaquer pour lui voler son or ?   Rendez-vous au **276**

Poursuivre la conversation avec lui ?   Rendez-vous au **194**

365

Le gaz est toxique et vos yeux se mettent à larmoyer. Vous retenez votre souffle suffisamment longtemps pour trouver les Filtres à Nez, et vous les glissez dans vos narines. Vous inspirez alors avec prudence, mais tout va bien, et, bientôt, le nuage de gaz se dissipe. Il ne vous reste plus qu'à ranger la boîte en argent dans votre sac à dos et à quitter la caverne pour poursuivre votre chemin vers le nord. Rendez-vous au **358**.

366

Vous souhaitez le bonjour au Centaure qui vous répond de même. C'est une bonne chose de rencontrer enfin quelqu'un qui ne vous attaque pas en vous voyant arriver. Vous demandez au Centaure s'il peut vous donner quelques renseignements qui vous aideraient à atteindre votre but, mais il ne sait rien et vous déclare qu'il ne se déplace pas beaucoup ces temps-ci, car il se fait vieux. Il veut simplement amasser un peu d'or pour ses vieux jours, et vous propose de vous faire traverser la rivière sur son dos en échange de 3 Pièces d'Or. Allez-vous :

Accepter son offre ?	Rendez-vous au **127**
Refuser poliment et traverser la rivière à pied ?	Rendez-vous au **178**

367

Le chapeau du champignon se fend avec un bruit de bouchon qui saute, et un gaz s'en échappe en sifflant. Un nuage empoisonné vous enveloppe aussitôt. Avez-vous des Filtres à Nez ? Si oui, rendez-vous au **60**. Sinon, rendez-vous au **222**.

368

Vous n'avez plus rien à faire dans cet endroit et vous décidez donc de remonter l'escalier pour rejoindre le chemin et repartir vers le nord. Rendez-vous au **112**.

369

Le fond de la vallée est verdoyant et fort agréable, et vous vous demandez comment il se fait qu'un endroit aussi paisible soit devenu le repaire de tant de créatures répugnantes. En marchant le long du chemin, vous apercevez bientôt la silhouette pansue d'un homme au crâne dégarni ; il est vêtu d'une longue robe marron et il se dirige vers vous. Lorsqu'il s'approche, vous reconnaissez en lui un moine. Qu'allez-vous faire ?

Engager la conversation
avec lui ?   Rendez-vous au **191**

Le croiser en le saluant
d'un signe de tête ?   Rendez-vous au **390**

370

Vous tâtonnez désespérément dans le noir complet mais, lentement, votre vue revient et vous vous relevez. Lorsque vous avez parfaitement recouvré l'usage de vos yeux, vous repartez vers le nord, le long du chemin. Tandis que vous étiez à terre, cependant, un objet est tombé de votre sac à dos. Rayez de votre Liste d'Equipement l'objet perdu (à votre choix) et rendez-vous au **231**.

371

Partout dans la caverne sont entassées des mains humaines en argile, représentées dans différentes positions. Elles sont toutes peintes d'une couleur rouge vif vernissée. Dans un vase de cuivre, vous trouvez 3 Pièces d'Or que vous rangez dans votre sac à dos et, comme il n'y a rien d'autre d'intéressant ou d'utile à emporter, vous quittez l'endroit en retournant à la bifurcation, toujours à quatre pattes, bien entendu. Si vous le désirez, vous pouvez prendre l'une des mains d'argile. Rendez-vous au **93**.

372

Vous vous penchez pour essayer de soulever le coffre, mais il est très lourd. Lancez alors deux dés. Si le chiffre obtenu est inférieur ou égal à votre total d'HABILETÉ, vous y parvenez et vous vous rendez au **48**. Si en revanche ce chiffre est supérieur à ce même total, vous vous faites mal au dos et vous perdez 1 point d'ENDURANCE. Vous pouvez à nouveau tenter de soulever le coffre en relançant les dés et ce, aussi souvent qu'il vous plaira (n'oubliez pas à chaque essai infructueux de déduire 1 point d'ENDURANCE). Lorsque vous aurez réussi, rendez-vous au **48**. Mais si vous ne parvenez décidément pas à soulever ce coffre, vous décidez de ne pas prendre le risque de vous faire encore plus mal au dos et vous quittez la pièce fort mécontent. Repartez vers le nord et rendez-vous au **288**.

373

Vous vous laissez tomber sur le tronc mort, épuisé par ce long combat. Hélas ! le bâton noir n'était qu'une illusion créée par le Changeur de Forme, et vous n'en voyez plus trace. Un instant plus tard, vous remarquez, derrière le tronc, quelques champignons violets qui ont poussé là. Vous n'en avez jamais vu de semblables, mais ils semblent appétissants. Si vous souhaitez goûter à ces champignons, rendez-vous au **308**. Si vous préférez repartir vers le nord, rendez-vous au **148**.

374

Vous glissez votre main dans le gantelet et vous empoignez votre épée. Vous faites alors de grands moulinets en vous sentant plus habile que jamais. C'est que vous venez de trouver un Gantelet d'Adresse à Combattre qui vous permettra d'ajouter 1 point à votre Force d'Attaque lors de vos futurs combats, aussi longtemps que vous le porterez. Inscrivez-le sur votre Liste d'Equipement. Si vous souhaitez à présent essayer l'anneau d'or, rendez-vous au **133**. S'il ne vous intéresse pas (ou si vous l'avez déjà essayé), vous repartirez en direction du nord, le long du chemin. Rendez-vous au **360**.

375

Vous arrivez bientôt à une bifurcation. Si vous souhaitez continuer vers le nord, rendez-vous au **150**. Si vous préférez aller à l'ouest, rendez-vous au **236**.

376

Tentez votre Chance. Si vous êtes Chanceux, il ne se réveille pas et vous vous rendez au **74**. Si vous êtes Malchanceux, vous heurtez du bout du pied un caillou qui roule avec bruit sur le sol de la caverne, éveillant le Troll. Rendez-vous dans ce cas au **310**.

377

Vous rattrappez bientôt les deux Pygmées. Ils sont vêtus de jupes fabriquées avec des herbes et, lorsqu'ils se retournent pour vous faire face, vous remarquez qu'ils ont chacun un os en travers du nez. Ils tirent aussitôt leurs poignards et vous attaquent. Chacun d'eux vous combattra séparément à chaque Assaut, mais vous devrez d'abord choisir, lors de chacun de ces Assauts, lequel vous souhaitez affronter en priorité. Vous combattrez l'adversaire ainsi choisi selon les règles habituelles. Mais avec l'autre, les règles changent : en effet, lorsque vous calculerez vos Forces d'Attaque respectives, vous ne lui aurez infligé aucune blessure si votre Force d'Attaque est supérieure à la sienne ; vous aurez simplement esquivé le coup qu'il vous aura porté. En

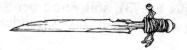

revanche, si c'est sa propre Force d'Attaque qui dépasse la vôtre, vous aurez vous-même reçu une blessure à la manière habituelle. Si vous parvenez à tuer l'un des deux Pygmées, le combat se poursuivra avec l'autre selon les règles normales.

	HABILETÉ	ENDURANCE
PYGMEE A	5	5
PYGMEE B	5	6

Si vous êtes vainqueur, rendez-vous au **205**. Si vous souhaitez prendre la *Fuite,* rejoignez le chemin à toutes jambes et repartez vers le nord. Rendez-vous au **92**.

378

A gauche du chemin, vous voyez un petit homme à la longue barbe grise, assis en tailleur sur le chapeau d'un énorme champignon. Il porte une veste et une casquette rouge vif et des pantalons noirs qui s'arrêtent aux genoux. Il est profondément endormi et ronfle bruyamment. Vous pouvez soit lui donner une petite tape sur l'épaule pour le réveiller (rendez-vous au **307**), soit passer silencieusement devant lui et poursuivre votre route vers l'ouest (rendez-vous au **67**).

379

Vous pouvez soit essayer de défoncer la porte (rendez-vous au **73),** soit retourner sur le chemin et repartir vers le nord (rendez-vous au **112**).

378 *Vous voyez un petit homme à la longue barbe grise, assis en tailleur sur le chapeau d'un énorme champignon.*

380

Si vous voulez prendre le risque de sauter à l'intérieur du tronc pour atterrir au fond du tunnel, rendez-vous au **237**. Si vous préférez retourner sur le chemin et repartir vers le nord, rendez-vous au **144**.

381

Vous avez échoué dans votre tentative d'aider les Nains. Vous n'avez rien à offrir à Gillibran, leur roi, et vous n'avez donc aucune raison de le rencontrer. Aussi décidez-vous de repartir vers l'est et de chercher un endroit où vous reposer après avoir affronté tous ces périls. Peut-être cependant pourriez-vous essayer à nouveau de découvrir le marteau de guerre ? Si c'est votre intention, il vous faut retourner chez Yaztromo le sorcier pour lui acheter d'autres objets magiques. Rendez-vous dans ce cas au **98**.

382

Vous suivez le chemin vers l'ouest, et vous arrivez bientôt à une nouvelle bifurcation. Vous décidez de ne pas prendre le sentier orienté au sud et vous allez vers le nord. Rendez-vous au **97**.

383

Vous fouillez les sacs et les vêtements des Orques et vous y trouvez 2 Pièces d'Or ainsi qu'un petit sifflet de bois. Inscrivez vos trouvailles sur votre Liste d'Equipement. Vous pouvez également manger le lièvre qui cuit à la broche et gagner ainsi 2 points d'ENDURANCE. Ayant repris de nouvelles forces, vous retournez sur le chemin et vous repartez vers le nord. Rendez-vous au **254**.

384

Un peu plus loin, parmi les herbes, vous entendez un faible gémissement. Vous levez les yeux : les vautours continuent de tournoyer dans le ciel, attendant patiemment. Vous faites encore quelques pas et un triste spectacle s'offre alors à vos yeux : un homme de haute stature, aux muscles noueux qui semblent durs comme l'acier est attaché au sol, chacun de ses membres ligoté à un pieu profondément enfoncé dans la terre. L'homme porte pour tout vêtement une pièce d'étoffe nouée autour de ses reins, et sa peau est brûlée par le soleil. Son visage et sa poitrine portent des traces de sévices : on a dû le torturer cruellement. Ses bourreaux n'auront cependant pas réussi à le faire parler car il est coriace : c'est en effet un BARBARE ! Si vous souhaitez le délivrer, rendez-vous au **128**. Si vous préférez le laisser à son agonie, retournez sur le chemin et repartez vers le nord. Rendez-vous au **394**.

385

Lorsque l'Ogre s'écroule sur le sol, la créature enfermée dans la cage se met à sautiller en tous sens plus frénétiquement encore. Qu'allez-vous faire ?

Aller voir d'un peu plus près cette créature dans sa cage ?   Rendez-vous au **168**

Fouiller la caverne ?   Rendez-vous au **313**

Quitter à l'instant la caverne et poursuivre votre chemin en direction du nord ?   Rendez-vous au **358**

386

Vous vous rendormez, mais vous passez une nuit agitée. Au matin, vous vous réveillez de bonne heure. Vous ramassez vos affaires et vous repartez vers le nord, le long du chemin. Rendez-vous au **119**.

387

Sur le sol, à quelques mètres devant vous, vous apercevez une Pièce d'Or. Vous la ramassez, vous la jetez en l'air d'une pichenette, et vous la rattrapez dans votre paume avant de la ranger dans votre poche. Vous gagnez 1 point de CHANCE. Rendez-vous au **340**.

388

Si le Loup-Garou vous a infligé une blessure au cours du combat, rendez-vous au **155**. Si vous n'avez pas reçu la moindre blessure, vous gagnez 1 point de CHANCE et vous vous rendez au 316.

389

Vous levez votre épée au-dessus de votre tête, et vous l'abattez violemment sur le coffre de bois qui se brise en mille morceaux. Parmi les éclats de bois, vous trouvez 8 Pièces d'Or et vous gagnez 1 point de CHANCE. Si vous ne l'avez déjà fait, vous pouvez à présent aller jeter un coup d'œil à l'intérieur du tonneau (rendez-vous au 215), ou quitter l'anfractuosité pour continuer à monter les marches (rendez-vous au 88).

390

Au loin, vous apercevez la sombre muraille de végétation qui se dresse devant vous. Le chemin mène droit à la Forêt des Ténèbres et s'y enfonce en serpentant parmi les racines et les buissons enchevêtrés. Enfin, vous arrivez à une bifurcation. Si vous souhaitez poursuivre vers le nord, rendez-vous au 190. Si vous préférez aller à l'ouest, rendez-vous au 280.

391

L'édifice ne mesure que trois mètres sur trois et il est dépourvu de fenêtre. L'accès en est fermé par une porte en pierre qui paraît très solide ; elle n'a pas de poignée et il ne semble pas qu'aucune autre ouverture permette d'entrer à l'intérieur de l'étrange construction. Vous remarquez alors dans la porte de pierre un minuscule trou de serrure. Avez-vous une clé d'argent ? Si oui, rendez-vous au 200. Sinon, rendez-vous au 379.

Tandis que vous vous accroupissez derrière des buissons, à l'écart du chemin, les voix se rapprochent et deux paires de jambes maigres à demi-recouvertes de haillons passent devant vous en traînant les pieds et en soulevant des nuages de poussière. Bientôt, les voix disparaissent au lointain, et vous retournez sur le chemin pour repartir vers le nord. Rendez-vous au **157**.

393

Le chemin suit le fond de la vallée paisible et aboutit à une bifurcation. Le sentier orienté au sud ramène vers les collines. Vous décidez donc de ne pas le prendre, préférant aller au nord. Rendez-vous au **369**.

394

Peu à peu l'herbe devient de moins en moins haute et le sol s'élève en pente douce. A quelque distance, vous entendez le bruit d'une eau courante, et vous arrivez bientôt sur la berge d'une rivière au cours paisible. L'eau est très peu profonde. Des pierres affleurant à la surface permettent de passer de l'autre côté, où le chemin continue vers le nord. Qu'allez-vous faire ?

Traverser la rivière sur les pierres ?

Rendez-vous au **66**

Traverser la rivière en marchant dans l'eau peu profonde ?

Rendez-vous au **186**

395

La mèche ne s'allume pas, mais un éclair, en revanche, jaillit de la lanterne avec une telle clarté que vous en êtes aveuglé. Incapable de rien voir, vous trébuchez et vous tombez à terre. *Tentez votre Chance.* Si vous êtes Chanceux, vous ne vous faites pas mal en tombant et vous vous rendez au **154**. Mais si vous êtes Malchanceux, votre tête heurte une bûche et vous perdez 3 points d'ENDURANCE. Si vous êtes toujours vivant, rendez-vous au **370**.

396

Vous tirez votre épée et vous vous apprêtez à affronter la meute de chiens qui apparaît à quelque distance, dans un nuage de poussière.

Un cavalier masqué vêtu d'une longue cape flottant au vent galope derrière, monté sur un étalon blanc. L'homme sonne de sa trompe de chasse et la meute de chiens s'arrête soudain devant vous. Ce sont des chiens courants : ils sont quatre. L'étalon s'immobilise à son tour derrière eux, soufflant par ses naseaux de longs jets de vapeur. L'homme masqué vous regarde alors sans dire un mot. Qu'allez-vous faire ?

Engager la conversation
avec lui ?   Rendez-vous au **364**
Attaquer le chien qui se
trouve le plus près de
vous ?   Rendez-vous au **96**

397

Vous poursuivez votre chemin au fond de la vallée, en passant devant un sentier orienté au sud qui mène vers les collines. Bientôt, vous arrivez à une bifurcation dont l'une des branches est également orientée au sud, en direction des collines. Si vous souhaitez aller au nord, rendez-vous au **163**. Si vous préférez continuer vers l'est, rendez-vous au **393**.

398

Vous atteignez l'extrémité du tunnel et vous vous apprêtez à remonter l'échelle le long du puits, lorsque vous entendez soudain des bruits de pas au-dessus de votre tête. Quelqu'un est en train de descendre l'échelle. Si vous souhaitez vous approcher de la paroi du puits pour saisir la jambe qui ne va pas tarder à apparaître, rendez-vous au **320**. Si vous préférez attendre que

396 *Un cavalier masqué, vêtu d'une longue cape flottant au vent, galope derrière une meute de chiens.*

ce mystérieux visiteur pénètre dans le tunnel, rendez-vous au **193**.

399

Vous vous précipitez sur Yaztromo, mais vous avez à peine atteint la première marche que le sorcier lève son bras droit d'un geste nonchalant et marmonne quelques mots. Le temps paraît alors s'arrêter tandis que jaillissent tout autour de vous des éclairs aveuglants. Votre corps vous semble soudain un liquide bouillonnant et lorsque toute cette agitation s'apaise enfin, vous êtes conscient qu'il vient de se passer quelque chose de terrifiant. Vous sentez contre votre corps la pierre froide de l'escalier, et vous allez devoir à présent vous habituer à un nouveau genre de vie : le sorcier vous a en effet transformé en grenouille ! Se penchant vers vous, Yaztromo vous ramasse d'une main et vous déclare d'une voix de tonnerre : « Profite donc bien de ta nouvelle vie, piètre bretteur ! » Puis il éclate d'un rire tonitruant et vous laisse presque tomber sur le sol. Il retourne ensuite vers la porte de chêne d'un pas traînant, l'ouvre, et vous jette parmi les hautes herbes qui entourent sa demeure. Votre aventure se termine ici.

400

Vous vous approchez des vieux Nains et vous leur demandez de vous conduire auprès de Gillibran. Ils vous dévisagent d'un air soupçonneux mais finissent par accepter en faisant quelques réflexions sur vos cicatrices et vos vêtements déchirés.

« C'est la Forêt des Ténèbres qui vous a mis

dans cet état, je suppose ? » dit l'un des nains en montrant de sa longue pipe d'argile diverses estafilades sillonnant votre corps. « Il y a des gens qui n'apprennent jamais rien. Ces aventuriers sont tous les mêmes et je me demande bien après quoi ils courent ! »

Vous traversez le village à la suite de vos deux guides et vous remarquez que de nombreux nains vous observent avec attention. A mesure que vous avancez, les villageois commencent à vous emboîter le pas et vous vous trouvez bientôt à la tête d'une véritable procession. Vous entendez chuchoter et murmurer dans la foule, et les visages expriment la curiosité. Bientôt, vous arrivez au pied d'un escalier de pierre qui mène à un édifice, également en pierre. A l'extérieur de cette construction, un petit homme vieux à la longue barbe est assis sur un trône de bois ouvragé. Il est coiffé d'une couronne et se tient la tête entre les mains, l'air désespéré. Vous montez alors les marches quatre à quatre en prenant dans votre sac à dos la tête et le manche du marteau. En les voyant, les yeux du vieux nain s'illuminent et il se lève d'un bond.
« Mon marteau ! Mon marteau ! s'écrie-t-il en vous arrachant des mains les deux objets. Nous sommes sauvés ! O mon peuple, nous voici prêts à livrer bataille aux Trolls ! »

Aussitôt, la foule tout entière explose en un tonnerre d'acclamations, brandissant hardiment haches et épées. Vous racontez ensuite à Gillibran le sort tragique de Gromollet et vous lui expliquez pourquoi vous avez décidé de poursuivre sa quête. Vous lui parlez également de tous les monstres que vous avez rencontrés en chemin. Gillibran vous écoute et fronce les sourcils lorsque vous lui annoncez la mort de Gromollet, son fidèle sujet. Puis, quand enfin vous avez terminé votre récit, le vieux nain ouvre un tiroir au pied de son trône et en retire une petite boîte en argent ainsi qu'un casque ailé en or qu'il vous tend. Le casque vaut des centaines de Pièces d'Or et vous vous en coiffez fièrement sous les applaudissements de la foule. Vous ouvrez ensuite la boîte en argent : elle contient des dizaines de pierres précieuses et de bijoux que vous rangez dans votre sac à dos. Vous saluez alors d'un signe de main les nains de Pont-de-Pierre qui ont retrouvé le bonheur grâce à vous. Votre quête est désormais terminée et vous êtes plus riche que vous n'auriez pu l'imaginer dans vos rêves les plus fous.

Achevé d'imprimer
le 5 Mai 1986
sur les presses de
l'Imprimerie Hérissey
à Évreux (Eure)

N° d'imprimeur : 40013
Dépôt légal : Mai 1986
1er dépôt légal dans la même collection : Septembre 1984
ISBN 2-07-033269-1

Imprimé en France